KB179500

농우바이오 팜스토리 효성오앤비 그린랩스 아이오크롭스 엔씽

농업생명 산업분야 취업가이드

저자 미래기술정보리서치

- 취업을 위해 꼭 알아야 하는 용어와 이슈
- 대표 기업 취업 성공방식
- 숲과 나무를 동시에 보는 산업분야 스터디

<제목 차례>

1 농업 관련 산업이란?

I. 농업 관련 산업이란?

1. 정의

농업 관련 산업(agribusiness)이라는 용어는 농업이 가지고 있는 제 기능이 분화되어 발생한 새로운 상공업과의 상호관련의 기능을 일괄해서 표현할 필요성이 대두되어 생겨났다. 농업 관련 산업은 농업을 둘러싼 자재 공급 산업, 농산물의 가공·저장·판매와 관련된 모든 산업 등을 포괄하는 것이다. 농업 관련 산업은 협의의 개념과 광의의 개념으로 구분된다.

협의의 개념으로 농업 관련 산업은 농업생산 부문을 제외하고 농업과 관련을 맺고 있는 투입재 사업과 관련소비 산업, 그리고 저장, 가공 및 유통 부문 즉, 농업과 관련된 비농업 부문의 산업을 총칭하는 것이다.

광의의 개념으로 농업 관련 산업은 전통적인 농업생산 부분을 포함하여 농업과 관련을 맺고 있는 농용 자재나 농산물을 원료로 한 상품의 가공·저장 등 유통산업의 총체와 농업금융, 농업 서비스 등이다. 즉 농업이란 산업과 같은 의미이지만 사업적 측면을 강조한 것이다. 농업이 농업 관련 산업으로 진화되어 농업생산 부분을 훨씬 뛰어넘어 소비자에게 식료품과 공업생산 원료를 조달하는 광범위하고 복잡한 체계가 된 것이다.

광의의 개념에 따라 농업 관련 산업을 투입부문(input sector), 생산부문(farm sector), 생산물 시장부문(product sector)으로 구분할 수 있다. 투입 부문은 농민이 작물이나 가축을 생산하는 데에 필요한 자재(종자·사료·비료·농약·농기계)의 생산·유통 부문을 담당하며, 농산물의 생산 효율성 증대에 결정적 역할을 수행한다. 생산 부문은 농용자재 및 생산요소를 이용한 직접적인 활동 부문을 말하며, 농업생산 및 가축의 번식과 생산, 식물·임원의 육종 및 생산 부문이 이에 속한다.

생산물 시장 부문은 농산물 생산자로부터 최종 소비자에게 분배되는 과정, 즉 농산물과 부산물의 검사·가공·저장 등의 유통 관련 부문을 말한다. 경제의 성장, 발전에 따라 농림업 부문은 전후방 관련 산업과의 관계가 깊어지는 등 변화하고 있다. 농업과 관련 산업의 연관구조는 결국 농업의 성장, 발전에 크게 영향을 미칠 것이다. 그래서 농업과 관련 산업과의 구조를 어떻게 형성할 것인가는 중요한 문제이다. 농업과 관련 산업 간의 바람직한 구조 형성을 위해서 농업 관련 산업의 구조와 생산기술의 변화에 대한 분석이 필요하다.

2. 전망1)

OECD와 FAO(UN 식량농업기구)는 10년간의 중기 농업 전망 보고서를 발간하는데, 이에 따르면 전 세계 농산물 수요(비식용 포함)는 향후 10년간 연평균 1.1% 증가할 전망이다.

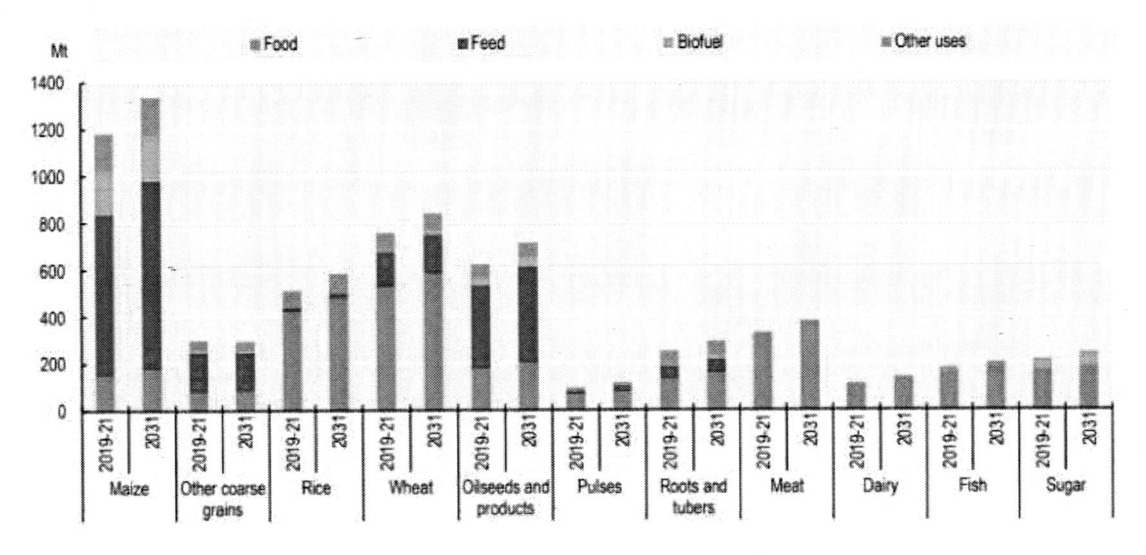

[그림 1] 주요 농산물의 수요 변화

또한, 중국, 인도 등 신흥경제국와 저소득 국가의 인프라·R&D투자, 관리 기술 개선 등을 통한 생산성 향상으로 세계 농업 생산은 향후 10년간 17% 증가할 전망이다. 북미와 서유럽은 강한 환경 규제와 높은 수준의 생산성으로 인해 생산 증대가 제한적이다.

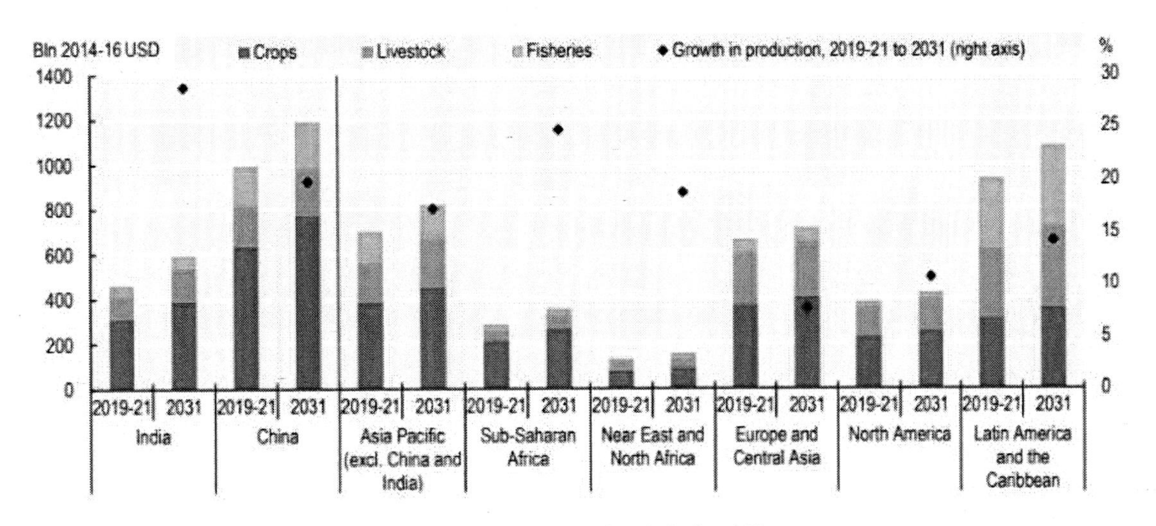

[그림 2] 세계 농업 생산의 현황

1) OECD-FAO 농업전망 2022-2031, 외교부

국내 농업의 경우, 경지면적은 건물 건축과 같은 농지 전용 수요의 증가 등으로 지속적으로 감소하여 2026년에는 149.6만 ha, 2031년에는 146.5만 ha로 전망된다. 또한, 농가인구 감소폭이 경지면적 감소폭보다 커 농가인구 1인당 경지면적은 2026년에는 71.4a, 2031년에는 74.3a로 연평균 0.9% 확대될 전망이다.

구분	2001	2020	2021 (추정)	전망		
				2022	2026	2031
경지면적(천 ha)	1,876	1,565	1,553	1,539	1,496	1,465
농가호당 경지면적(ha)	1.39	1.51	1.53	1.55	1.59	1.60
농가인구당 경지면적(a)	47.7	67.6	68.2	68.8	71.4	74.3
경작가능면적(천 ha)	1,889	1,517	1,506	1,493	1,451	1,421
재배면적(천 ha)	2,089	1,624	1,579	1,574	1,525	1,475
경지이용률(%)	110.6	107.0	104.9	105.4	105.1	103.8

[표 1] 경지면적과 경지이용률 동향과 전망

기타 작물을 제외한 모든 부류의 재배면적이 감소하여 2031년 전체 재배면적은 연평균 0.7% 감소한 147.5만 ha로 전망된다. 또한, 식량작물, 채소, 과수 재배면적은 각각 연평균 1.0%, 0.5%, 1.2% 감소할 전망이다.[2)]

이처럼 농업은 우리 삶에서 떼어낼 수 없는 분야이다. 더불어 가장 빠르게 성장하고 있는 분야이기도 하다. 종자전쟁, 식량난 등의 키워드가 핫한 2021년에서 우리는 농업 관련기업들을 소개하려 한다.

2) 농업전망 2022, 한국농촌경제연구원 (2022)

2 농업 관련 기업 소개

II. 농업 관련 기업 소개

1. 농우바이오[3]

1) 회사 소개

[그림 3] 농우바이오

소재지	경기도 수원시 영통구 센트럴타운로 114
설립일	1990년 6월 5일
웹사이트	www.nongwoobio.co.kr
매출액	364억 (2022.09. IFRS 연결)

[표 2] 농우바이오 기업정보

농우바이오는 종자 및 상토를 개발 생산, 판매하는 사업을 하며, 본사를 거점으로 국내 4개 연구소(여주, 안성, 밀양, 김제), 국내 1개(상림 농업회사법인) 및 해외 6개(중국, 미국, 인도, 인도네시아, 미얀마, 터키) 법인의 운영을 통한 우수 채소종자 및 농자재의 생산 판매를 목표로 하는 국내 기업이다. 농우바이오는 1967년 종자유통업을 시작으로 1981년에 농우종묘사를 창업하였으며, 1990년 농우종묘 주식회사로 법인 전환 이후 2002년 4월 코스닥 시장에 상장되었다.

농우바이오의 전체 연구인력 중 56%가 7년 이상 장기 근무자로 확인되며, 이를 통해 연구의 연속성이 보장됨을 알 수 있다. 또한, 총 60명의 연구원 중 17명의 박사학위 보유자가 포함되어 있으며, 국내/외 품종육성 개발 전공 및 생명공학 전공자로 구성되어 있다. 현재 국내 4개 연구소(여주육종연구소, 남부육종연구소, 생명공학연구소, 김제연구소)에서 우수 채소종자 개발을 위한 채소육종 연구 및 형질 분석, 배양 연구 등 생명공학 연구를 집중적으로 진행하고 있다.

농우바이오는 매출액의 12% 이상을 다음 해 연구개발 활동을 위한 예산으로 운용하는 것으로 파악된다. 또한, 동사의 해외 법인은 해당 국가의 토양·기후에 맞는 종자를 생산하기 위하여 연구시설 운영 및 연구인력을 배치하여 종자연구를 진행 중이다. 중국법인은 북경연구소, 광동연구소, 하북연구소(2022년 청도연구소 추가 완공 예정) 운영으로 가지과, 박과 등의 연구를 통해 중국 및 동북아 시장을 공략하고 있다. 미국법인, 인도법인, 인도네시아법인, 터키법인 또한 자체 연구시설을 보유하고 있으며 중남미, 인도, 동서남아, 유럽, 아프리카 등 글로벌 종자시장 진출 및 확장을 위해 노력하고 있다.

---

3) 농우바이오, 한국 IR협의회, 2021.12.09

농우바이오는 고부가가치 품종육성을 위해 첨단 생명공학 기술을 교배육종기술에 접목함으로써 농업 생명과학 분야를 선도적으로 개척하고 있으며, 국내외 우수품종 개발을 힘쓰고 있다. 농우바이오는 총 76건의 품종보호등록을 보유하고 있는 것으로 파악된다.

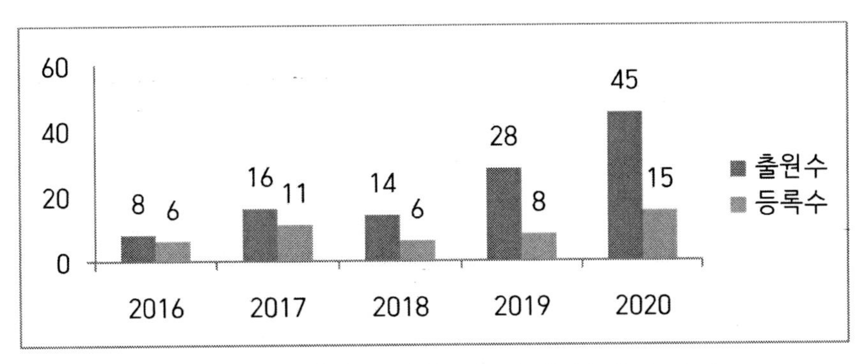

[그림 4] 농우바이오 품종보호 출원 및 등록 추이

농우바이오는 채소종자, 상토 등을 생산·판매하여 매출 시현 중으로, 고추, 토마토, 수박, 참외, 오이, 호박, 무, 배추, 양파 등의 다수의 종자제품을 구축하고 있으며 신품종 개발을 위해 연구개발을 추진하고 있다. 또한, 상토 제품을 비롯하여 토양 개량제인 바이오차 제품 개발 및 상용화로 친환경 농업 신사업으로 사업을 확장하였다. 2021년 3분기보고서에 따르면, 매출액 986억은 종자매출 717억(73%), 상토 등의 매출 269억(27%)으로 구성된다.

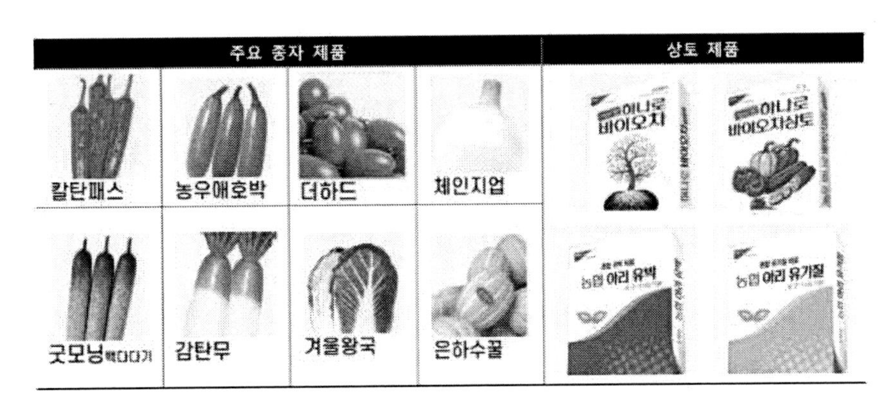

[그림 5] 농우바이오 주요 제품 현황

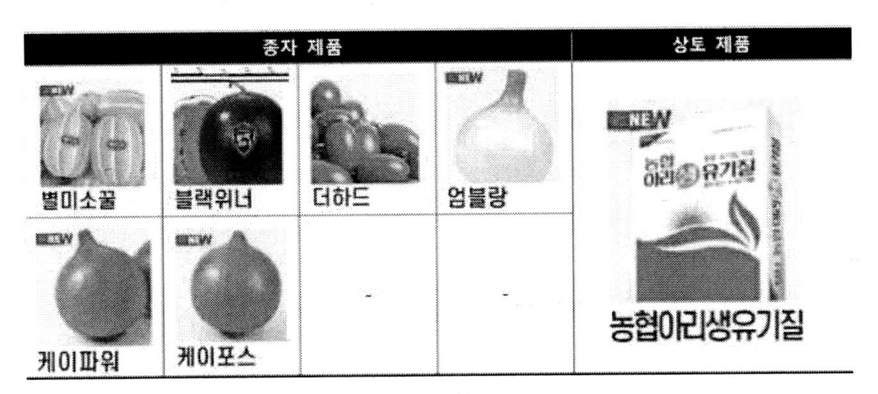

[그림 6] 농우바이오 신제품 현황

2) 채용 공고

모집분야등

구분	모집분야	주요업무	지원자격 및 우대사항	근무지역	모집인원
인턴	영업관리	· 국내 거래처 관리 등	· 농업관련 경력자 우대 · 운전면허증 소지 필수(면허증을 소지하고 있더라도 이력서에 기재하지 않으면 불합격 처리됨에 유의)	전국	0
	육종연구	· 채소 종자 육종	· 농학 또는 원예 육종 계열 석사학위 이상 소지자 · 공인어학성적 제출	여주 밀양 김제	0
경력	IT관리	· ITGC(정보기술 일반통제)	· 전산관련 학과 또는 관련 자격증 소지자 우대	경기 수원	0
공통사항	· 국가유공자, 보훈대상자, 장애인, 취업보호대상자, 전역장교 우대 · 해외여행에 결격사유가 없는 자 · 병역필 또는 면제자 · 인턴/경력 여부, 최종발령부서 및 근무지역 등은 지원자의 경력 · 역량 등에 따라 변동 될 수 있으며, 채용 후 향후 조직개편 및 인사발령 등에 의하여도 근무지 등은 변동 될 수 있음 · 2023년 2월 졸업 예정자 지원가능 ※ 발령일부로 근무 불가시 채용은 취소될 수 있음				

[그림 7] 농우바이오 2022년 하반기 인턴/경력직 채용 공고

농우바이오는 2022년 하반기 각 부문별 인턴 및 경력 채용공고를 냈다. 모집분야는 영업관리, 육종연구, IT관리이며 영업관리의 근무지역은 전국, 육종연구의 근무지역은 여주, 밀양, 김제, IT관리의 근무지역은 경기와 수원이다.

인턴교육(인턴지원자에 한함)

- 기　　간 : 6개월
- 교육내용 : 기본입문 교육 및 실무 교육
- 정규전환 : 인턴 종료 후 평가 우수자에 한해 정규직으로 채용

※ 인턴기간 평가 기준은 내부 방침에 따릅니다.
※ 원칙적으로 인턴계약 만료시 고용관계는 종료됩니다.
※ 인턴기간 내라도 계약종료 사유 발생시 중도 계약해지 될 수 있습니다.
※ 상기 인턴교육 기간은 상황에 따라 변동될 수 있습니다.
※ 경력직의 경우 인턴교육이 진행되지 않습니다.

[그림 8] 농우바이오 인턴교육

인턴지원자의 경우 6개월의 교육기간을 거쳐 우수 평가자에 한해 정규직으로 전환 된다는 내용을 찾아볼 수 있다.

3) 채용 절차[4)]

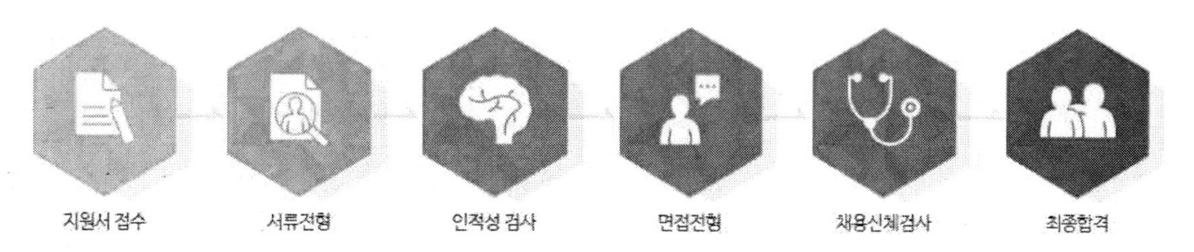

[그림 9] 농우바이오 채용 절차

1. 지원서 접수
신입 채용 지원자는 정해진 기간에 채용홈페이지를 접속하여 온라인 입사지원서를 접수시켜야 한다. 지원서 접수 시 본인의 적성과 흥미에 따른 관심 직무를 선정하고, 해당 직무가 속한 직무군을 선택하여 지원서를 최종 접수한다.

2. 서류전형
지원서의 각 항목에 기재된 내용과 자기소개서를 바탕으로, 지원자가 지원직무와 회사에 적합한 자격, 경험, 열정을 가진 인재인지를 종합적으로 평가한다.

3. 인적성 검사
인성검사 : 업무태도/대인관계/문제해결능력 등 성격특성 요인을 측정하여 채용에 적정성 여부를 판단한다.
적성검사 : 업무능력, 채용수준 등을 감안하여 언어능력, 계산능력, 추진력, 판단력, 창의력 등 직무에 필요한 능력을 측정한다.

4. 면접전형
 1) 1차면접(실무면접)
실제 업무를 수행하기 위한 능력과 열정, 전략적 사고역량, 실무역량 등을 평가하는 1차 면접이 진행된다. 면접 진행방식은 다대다 방식이며, 인성평가가 병행된다. (소요시간 : 30분 ~ 1시간)

 2) 2차면접(임원면접)
1차 면접 합격자를 대상으로 이루어지는 심층 면접으로, 미래가능성과 성장가치 등을 평가하는 절차다. 면접진행방식은 다대다 면접으로 진행된다. (소요시간 : 30분 ~ 1시간)

5. 채용신체검사
농우바이오에서 지정한 의료기관에서 실시된다.

6. 최종합격
합격자 중 결격사유가 없는 자를 최종합격자로 선정한다.

---
4) 농우바이오 홈페이지

4) 최근 이슈

농우바이오는 최근 국내 민간기업 최초로 국제 종자품질 기준인 ISTA(International Seed Test Association, 국제종자검정협회)인증 적용으로 해외 수출입 시 품질이 보증된 종자를 체계적으로 공급할 수 있게 되었다. 이는, 농우바이오의 종자품질 검정체계가 국내를 비롯하여 국제적인 수준을 갖췄다는 의미이며, 농우바이오의 연구인력과 시설 등을 기반으로 민간 종자산업의 획기적인 발전을 도모할 수 있을 것으로 기대된다. 한편, ISTA는 국제적으로 거래되는 종자의 공정한 평가를 위한 국제기구로, 표준화된 절차를 통해 종자 샘플링 및 검정을 수행하여 기준 통과 시 ISTA증명서를 발급받게 된다.

농우바이오의 연구분야는 식물분자유전학, 식물생리생화학, 식물조직배양학, 식물병리학으로 분류할 수 있다. 식물 분자 유전학 분야는 분자유전학 및 생물정보학 관련 지식과 기술을 적용하여 내병성 등과 같은 유용한 형질을 DNA 마커로 선별할 수 있는 시스템(Marker assisted selection)과 우량계통을 조기에 육성할 수 있는 세대 단축 시스템(Marker assisted backcross breeding)을 개발하여 우수품종 육성 프로그램을 지원하고 있다. 또한, 주요 계통 또는 품종에서의 유전적인 순도분석과 품종 간 유전적 유사성 분석 등에 활용 가능한 DNA 마커를 개발하고 활용함으로써 우수품종에 대한 품질과 지식재산권을 강화하고자 한다. 한편, 건강과 웰빙에 대한 소비자의 관심도가 높아짐에 따라 생리활성성분이 다량으로 함유된 기능성 품종 육성을 위한 생리·생화학적 표현형 분석 시스템 구축, 기후 변화에 대응하기 위한 내재해성 평가 시스템 구축 등의 연구개발사업을 수행하고 있다. 이 외에도, 식물조직배양 기술을 통해 화기조직인 약, 소포자, 자방 등을 배양하여 배가반수체 생산을 통해 계통육성 연한을 효과적으로 단축시키고자 연구개발 중이며, 작물별 병원균 동정 및 병리 검정 기술 개발과 작물 재배 농가의 병해 발생에 대한 원인분석 및 컨설팅을 수행함으로써 종자판매 이후 발생할 수 있는 병충해 관련 문제 해결을 위한 대민지원 사업에도 힘쓰고 있다.

[그림 10] 농우바이오 연구 분야

2. 팜스토리

1) 회사 소개[5]

[그림 11] 팜스토리

소재지	서울특별시 강남구 강남대로 310
설립일	1991년 4월 17일
웹사이트	www.dodrambnf.co.kr
매출액	3,685억 (2022.09. IFRS 연결)

[표 3] 팜스토리 기업정보

팜스토리는 양돈 사료 생산을 시작으로 1998년 4월 설립되어 사료 사업과 육가공 사업, 기타(곡물) 사업을 영위하고 있다. 국내에서 처음으로 도축장에 대한 HACCP(Hazard Analysis Critical Control Point) 인증으로 시작하여 2011년 전 공장에 HACCP 인증을 받는 등 축산물 원료의 선택부터 공정관리, 위생관리, 품질관리, 배송관리까지 생산 전 공정에 대한 처리능력 및 위생수준에 대한 우수성을 입증받았으며 현재까지 유지하고 있다.

팜스토리의 사료 사업 부문에서는 번식돈(자돈을 생산할 목적으로 기르는 암컷 돼지), 자돈(새끼돼지), 육성/비육돈(고기를 생산하는 돼지) 등 다양한 돼지의 사육 목적에 따라 최적의 영양 설계를 통한 맥시맘, 큐맥스(번식돈), 넥스트(육성/비육돈), 히든플러스(자돈) 등의 사료 제품을 생산하고 있으며, 지속적인 연구개발을 통해 중금속 및 유기물 배출 저하 등 환경을 고려하면서도 생산성은 증가시키는 새로운 가공사료 이큐맥스, 아이큐맥스 등의 신제품을 개발하여 출시하였다. 또한, 육가공 사업 부문에서 사육 환경개선 및 농장 경영관리 등을 통한 돼지고기 생산성 증대와 이후 출하 브랜드, 종돈 및 정액관리, 질병관리와 분뇨자원화 까지 연결되는 복체인솔루션을 적용하여, 돼지고기 성적향상과 환경까지 고려한 지속가능한 한돈산업으로 지속적인 매출 성장을 시현하고 있다.

팜스토리는 환경 기준 및 방역 강화 등 법적인 규제, 냄새와 악취 등 민원 증가로 축산업의 공적 가치가 낮아지는 것을 방지하고, 환경과 조화되는 지속 가능한 축산업으로 나아가기 위해 사료의 영양강화에 환경품질을 더한 제품들을 개발하여 출시하였다.

5) 팜스토리, IR협의회, 2022.01.06

팜스토리는 친환경 양돈 사료 조성물에 관한 특허 기술을 기반으로 영양소의 흡수를 높이고 장내 유익균을 안정화시키면서 가축의 소화생리를 고려한 사료 설계로 분뇨를 통한 유기물의 배출이 감소되며, 바이오 미네랄 및 나노코팅기술을 적용한 사료 개발로 중금속 배출량을 감소시키고 퇴비의 부숙도까지 향상시키는 이큐맥스 사료 제품를 개발하여 출시하였다. 또한, 천연 식물 추출물 처방으로 탁월한 식욕 촉진과 함께 소화기능을 발달시키고 장 점막을 보호하는 등 장관 면역뿐만 아니라 전신 면역 향상에 기여하는 아이큐맥스 제품을 출시하는 등 생산성을 높이고 생산비 절감 및 환경까지 고려한 사료 제품을 지속적으로 개발하고 있다.

또한, 팜스토리는 세계 축산업의 동향속에서 지속적인 성장을 위해 생산성 향상을 위한 복체인 솔루션을 구축하고 지속적으로 발전시키고 있다. 2019년 국내 돼지고기 번식 생산성을 비교하면 PSY(Piglet per Sow per Year, 연간 모돈 두당 이유 두 수)와 MSY(Marketted pigs per Sow per Year, 연간 모돈 두당 출하 두 수)는 각각 21.2두, 17.9두로 미국과 유럽 주요 국가와 비교하여 낮은 생산성을 보이고 있는 반면에 생산비는 3,780원/지육kg으로 가장 높은 것으로 나타났다.

팜스토리는 사료 개발을 통한 영양솔루션과 계열사인 옵티팜과 협력하여 천연 항생제 대체물질개발 및 질병 관리를 하는 수의/임상병리 솔루션으로 최적의 영양공급 및 돼지의 질병에 대한 연구개발을 수행하고 있다. 또한, 국내 양돈환경에 적합한 현장중심의 환기점검 솔루션으로 사육환경을 개선하고 1급 전기기사 전문가를 통한 전기점검 솔루션으로 화재 예방 등 농장의 안전을 관리하는 환경 및 시설에 대한 점검서비스를 농장에 제공하고 있다. 특히, 환기점검 솔루션 통하여 개선된 사육환경에서 돼지의 스트레스 감소되고, 질병 감수성 저감되어 결과적으로 폐사율은 감소되는 사례를 확보하였으며, 사료요구율도 높아져 생산성이 높아지는 결과를 보유하고 있다.

팜스토리는 돼지의 상태 및 사육환경뿐만 아니라 종돈/정액솔루션을 통한 우수품종 관리, 경영분석솔루션을 통한 농장운영 컨설팅, 액비(액상비료) 및 바이오가스 생산을 통한 분뇨자원화까지 전반적인 축산사업의 인프라와 노하우를 농정에 제공하고 있다. 종돈/정액솔루션으로 많은 산자수와 이유 두 수, 장기간 유두개량을 통한 14개 이상의 포유능력을 보유한 하이포 컨품종을 선별 및 분양하고 있으며, 고품질의 돼지고기 생산을 목적으로 개량되어 높은 지육율과 일당 증체량을 가지고 있는 캔토듀록 돼지 품종을 확보하고 있다. 또한, 최첨단 정액채취설비 및 분석시스템도 보유하고 있어 우수 품종을 유지 관리하여 농가에 제공하고 있다.

이외에도 피그플렌 전산시스템과 이커너팜 경영분석 프로그램으로 구성된 시스템을 구축하여 농장의 전반적인 경영현황과 자금운영 컨설팅 등 간단한 지표 항목으로 농장 전체 성적을 한눈에 볼 수 있는 경영분석 솔루션, 농장내 액비 생산 노하우 제공 및 지역별 액비 유통센터와 연계하거나 바이오가스 플랜트를 활용한 분뇨처리 서비스를 제공하는 분뇨자원화 솔루션도 구성하고 있어 축산농가에 전반적인 인프라와 노하우를 통한 서비스를 제공하고 있다.

2) 채용 공고

법인명	모집부문		우대사항	근무지
이지홀딩스	신입	여신관리	• 법학 및 축산계열 전공자	용인 (경기, 기흥역 인근)
이지홀딩스	신입	법무팀	• 국내 변호사 자격증 필수 • 로펌 경력자 우대 • 영어 능력자 우대 • 미국 변호사 자격증 소지자 우대	서울 (강남구)
이지홀딩스	신입	교육팀	• 관련 직무 경험자 • 기획력, Presentation 역량 보유자 • OA 역량 보유자	서울 (강남구)
팜스토리	신입	재무경영부	• 회계 및 세무 전산자격증 소지자 우대	서울 (강남구)
이지홀딩스	경력	여신관리	• 축산관련(사료, 축산계열화)회사 여신관리 업무 경험자 • 여신관리 필수적 지식 보유자로서 여신관리 실무 경험자	용인 (경기, 기흥역 인근)
이지홀딩스	경력	법무팀	• 국내 변호사 자격증 필수 • 로펌 경력자 우대 • 영어 능력자 우대 • 미국 변호사 자격증 소지자 우대 • 법무 경력 3년 이하	서울 (강남구)
이지홀딩스	경력	인사총무	• 팀워크를 중요시하며, 긍정적인 마인드를 가진 분 • 기업의 문화를 이해하고 조직에 빠르게 적응할 수 있는 분 • HR전반에 대한 높은 이해를 바탕으로 관련 지식을 업무에 적용할 수 있는 분 • 노동관계법 해석 및 적용, 활용이 가능하신 분 • HRM 업무 경력 3년 이상	서울 (강남구)
이지홀딩스	경력	기획팀	• 양돈업체(LPC, 양돈계열화 등) 기획, 마케팅 등 업무 경험자(3년~5년) • 축산학 또는 경영학 전공자	서울 (강남구)

[표 4] 이지홀딩스 채용공고

이지홀딩스(팜스토리의 모회사)는 2022년 신입 및 경력직 채용공고를 냈다. 모집분야는 이지홀딩스 여신관리, 법무팀, 교육팀, 인사총무, 기획팀, 팜스토리 재무경영부다.

3) 채용 절차

[그림 12] 이지홀딩스(팜스토리) 채용 절차

이지홀딩스의 채용절차는 지원서 접수를 시작으로 서류전형, 인성검사, 면접전형으로 이루어져있다.

1. 지원서 접수 :
신입 채용 지원자는 정해진 기간에 채용홈페이지를 접속하여 온라인 입사지원서를 접수시켜야 한다. 지원서 접수 시 본인의 적성과 흥미에 따른 관심 직무를 선정하고, 해당 직무가 속한 직무군을 선택하여 지원서를 최종 접수한다.

2. 서류전형 :
지원서의 각 항목에 기재된 내용과 자기소개서를 바탕으로, 지원자가 지원직무와 회사에 적합한 자격, 경험, 열정을 가진 인재인지를 종합적으로 평가한다.

3. 인성검사 :
온라인 인성검사를 적용하여, 신뢰역량, 성과역량, 가치역량을 기반으로 지원자의 성장 가능성을 종합적으로 평가한다.

4. 면접전형 :
1) 1차면접(실무면접)
실제 업무를 수행하기 위한 능력과 열정, 전략적 사고역량, 실무역량 등을 평가하는 1차 면접이 진행된다.

2) 2차면접(인성면접)
1차 면접 합격자를 대상으로 지원자들의 열정, 관계역량, 가치관 등을 평가하는 절차다.

5. 최종합격 :
최종 면접에 합격된 대상자는 이지가족 신입사원으로 입사하게 된다.

4) 최근 이슈

팜스토리는 사육돈의 종류에 따른 영양 최적화와 유기물, 중금속 배출 감소, 암모니아 배출 감소의 기능을 사료에 적용하는 바이오 미네랄 및 나노코팅기술 등을 기반으로 신제품을 개발하고 있으며, 친환경 양돈 사료 조성물에 관한 특허 기술을 기반으로 지속 가능한 한돈 산업 발전을 위한 친환경 영양솔루션을 선포하며, 친환경 프로젝트 활동을 진행하고 있다.

또한, 최근 높은 곡물 가격 시대를 대비하여 소화율과 기호성을 향상시키고 대사효율을 증진하여 사료의 허실을 감소시킨 아이큐 맥스 제품도 출시하는 등 제품개발을 꾸준히 하고 있다. 사육 부분에서는 사육 시 발생하는 냄새와 악취를 절감하는 최적의 환기 시스템을 구축, 점검, 개선, 리모델링 등 축사신축 컨설팅과 간단한 지표항목으로 농장전체 성적을 한눈에 볼 수 있는 경영분석 프로그램 시스템을 이용한 농장경영 컨설팅 등을 통해 사육기술을 발전시키고 있어 이후 생산성의 증가와 품질의 향상이 기대된다.

팜스토리는 기능성 사료 개발 통한 중금속 및 유기물 배출의 저하뿐만 아니라 퇴비 부숙 시간을 단축시켜 오염원을 절감하는 동시에 액비 생산에 대한 노하우를 농장에 공유하고 지역별 액비 유통센터와 연계하여 분뇨처리 서비스도 제공하고 있다. 나아가 바이오가스 플랜트를 통하여 분뇨를 원료로 사용하는 가스자원으로의 전환에도 활용하고 있다. 또한, 계열사인 옵티팜과 공동 연구의 결과로 천연 항생제 대체물질인 옵티케어를 개발하는 등 다양한 친환경 사업영역을 확대하고 있다.

3. 효성오앤비[6)]

1) 회사 소개

[그림 13] 효성오앤비

소재지	경기도 화성시 팔탄면 율암길 223
설립일	1976년 11월 4일
웹사이트	www.yuyang.co.kr
매출액	30억 (2022.09. IFRS 연결)

[표 5] 효성오앤비 기업정보

효성오앤비는 혼합유박, 혼합유기질비료를 개발하여 전국 농협으로 확대 공급시켜 온 친환경 농자재 전문기업으로 농협중앙회 자재부 연도별 유기질비료 농협 계통 공급 실적 기준 1994년부터 현재까지 연속 1위를 유지하고 있는 업체이다. 유기질비료 일괄생산시스템을 보유하고 있고 연구개발 조직을 통해 안전하고 고품질 농산물 생산을 위한 기술개발, 기술지원, 새로운 제품 개발을 진행하여 친환경 농업 정착의 기반을 만들고 있다.

효성오앤비의 연결대상 종속회사는 총 2개로, 유기질비료 제조와 원료 조달을 목적으로 스리랑카에 설립된 국외 계열회사 HYOSUNG ONB (PVT)LTD와 부산물비료 제조를 위한 국내 계열회사 황토영농조합법인이 있다. 효성오앤비는 소비자가 원하는 시기에 안정적으로 유기질비료를 공급하기 위해 경기도 안성, 충남 아산, 경북 청도, 의성, 전남 함평 등 국내 5개의 생산시설과 스리랑카 해외 생산기지를 확보하고 있다.

N(질소)-P(인)-K(칼륨) 합이 7% 이상이고 순간압착공법을 통해 수분을 제거한 고농축 펠렛형 유기질비료인 유박골드는 효성오앤비 매출의 50% 이상을 차지하는 대표 제품으로 농협중앙회 유기질비료 우수브랜드로 지정된 품목이다. 유박골드는 수분을 낮추어 사용 편의성과 경제성을 개선하였고 입상 형태로 뿌리기가 쉬우며, 유실이 적어 작물 고유의 독특한 맛, 향, 저장성 등이 향상된 고품질 농산물을 생산할 수 있다. 신토불이는 첨단 호기성 발효공법을 이용하여 생산한 1등급 가축분퇴비로 전자동 시스템에 의한 발효공정과 후숙과정을 거쳐 균일화된 안정적인 제품이며, 산업 폐기물 및 음식물 폐기물을 일체 사용하지 않은 고품질 무공해 퇴비이다.

6) 효성오앤비, IR협의회, 2020.08.13

효성오앤비는 시들음병균, 역병균, 탄저병균 등을 일으키는 토양 내 식물병원성 곰팡이에 길항력을 갖고 있는 바실러스속 균주로부터 생존력이 우수하고 제형화가 용이한 미생물을 선발하고 영양제 등과 함께 수화제 형태의 미생물비료 락토스타를 개발, 공급하여 식물병 방제와 더불어 사용상의 편리성을 향상시켜 농업 생산성 증대에 기여하고 있다.

또한, 효성오앤비는 성분, 순도, 용해도 분석, 비종별 혼용 안전성, 생육 예측분석 등의 품질 테스트를 거친 고순도의 양액재배용 비료 스마트파머를 제조하고 있으며, 완전수용성 비료로서 순도가 매우 높고 불순물을 최소화하여 작물의 신진대사와 과실의 성장을 건강하게 해주어 농가 경쟁력을 향상시키고 있다.

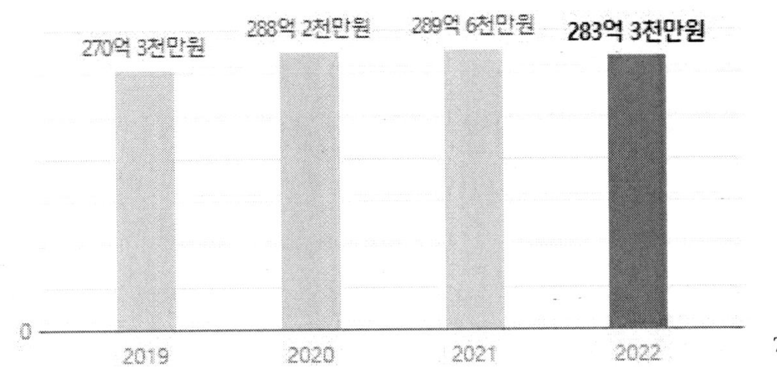

7)

[그림 14] 효성오앤비 매출액

7) [출처] 잡코리아

2) 채용 공고

담당업무	자격요건	인원
[담당업무] 상토, 축산 관련 영업 제품 품질관리 [근무부서 및 직급/직책] 근무부서: 피트모스팀	[자격요건] 경력사항: 신입, 경력(연차무관) 학력사항: 대학교(4년)졸업 [우대사항] 우대사항: 운전가능자	2 명

[그림 15] 효성오앤비 일반영업 신입/경력 계약직 채용 공고

담당업무	자격요건	인원
[담당업무] 제안영업 및 대리점 관리, 스마트팜,기획,무역 등 [근무부서 및 직급/직책] 근무부서: 스마트팜팀	[자격요건] 경력사항: 신입, 경력(연차무관) 학력사항: 대학교(4년)졸업 기타: 동종업계 경력자 우대 [우대사항] 우대사항: 인근거주자, 운전가능자	1 명

[그림 16] 효성오앤비 2021 정규직 영업직원 채용 공고

담당업무	자격요건	인원
[담당업무] 유튜브 제작, 영상촬영,편집 [근무부서 및 직급/직책] 근무부서: 피트모스팀	[자격요건] 경력사항: 신입, 경력(연차무관) 학력사항: 대학(2,3년)졸업 기타: -개인방송 경험자 우대 -농업 또는 유관분야 전공,경험,자격 소지자 우대 -일러스트,포토샵,프리미어 프로 등 편집툴 능숙자 우대 [우대사항] 우대사항: 운전가능자, 해당업무 전공,경험, 자격 소지자	1 명

[그림 17] 효성오앤비 영상촬영 및 편집 채용 공고

효성오앤비는 일반영업 분야, 정규직 영업직원, 영상촬영 및 편집 채용 분야에서 2021년 채용을 진행했다. 특히 일반영업의 경우 계약직 채용을 진행하였다.

3) 채용 절차

/ 전형단계 및 제출서류

- 전형단계: 서류전형 > 면접진행 > 최종심사 > 최종합격
- 추가 제출서류
  이력서에 연락처, 희망연봉 기재
  제출한 서류는 일체 반환하지 않음
  이력서, 자기소개서
  서류전형, 면접전형

[그림 18] 효성오앤비 일반영업 분야 채용 절차

효성오앤비의 일반영업 분야의 경우 서류전형, 면접진행, 최종심사, 최종합격 순으로 진행된다. 인쿠르트 사이트의 채용시스템을 이용하여 이력서를 접수 받으며, 이력서에 희망연봉을 기재하도록 하고 있다.

/ 전형단계 및 제출서류

- 전형단계: 서류전형 > 면접진행 > 최종심사 > 최종합격
- 추가 제출서류
  이력서, 자기소개서

[그림 19] 효성오앤비 정규직 영업직원 채용 절차

효성오앤비의 정규직 영업직원 채용 절차의 경우 서류전형, 면접진행, 최종심사, 최종합격 순으로 진행된다. 인쿠르트 사이트의 채용시스템을 이용하여 이력서를 접수 받으며, 자기소개서를 추가로 제출해야 한다.

4) 최근 이슈

최근 효성오앤비는 '2022 농기자재 국제워크숍' 행사에서 농기자재 수출기업 농식품부 장관 표창 우수상을 수상했다. 2022 농기자재 국제워크숍은 농림축산식품부가 주최하고 농림수산식품교육문화정보원이 주관하는 국내 농기자재 수출 현장의 우수사례를 발굴 및 성과 공유를 하는 네트워킹 행사다.

효성오앤비는 농기자재 기업들의 수출 준비도, 독창성, 수출성과, 일자리 창출 등을 종합적으로 평가해 높은 가점으로 우수상에 선정됐다. 특히 코로나19로 인해 국제전시회 및 해외 출장 등이 어려워짐에 따라, KOTRA, 한국무역협회, 중기부, 농정원 등에서 제공하는 온라인 시장 개척단, 무역사절단, 수출상담회 등을 통해 성공적인 수출성과를 달성한 점도 높이 평가받았다.[8)]

또한, 효성오앤비는 2022년 제59회 무역의 날을 맞아 '백만불 수출의 탑'을 수상했다. 백만불 수출의 탑은 국내기업 중 연간 해외수출액이 1백만 달러를 넘은 기업에 수여되는 상이다. 효성오앤비는 유기질비료 및 식물영양제를 수출해 1백만 달러 실적을 달성했다. 효성오앤비는 그동안 해외 국제박람회, 온라인 무역사절단, 수출상담회 등을 적극 활용해 우리나라 유기질비료의 우수성을 홍보해 왔다. 해외 현지 작물에 맞는 비료 조성·포장·유통 등 변화전략도 선보여 성공적인 해외정착을 이뤄냈다는 평이다. 아울러 효성오앤비는 스마트팜, 피트모스, 저탄소 비료 등 미래 농업에도 적극 대응하고 있다. 친환경농업을 향한 전 세계적인 관심세에 성장이 더욱 기대된다는 평을 받고 있다.[9)]

---

8) 효성오앤비, 2022 농기자재 국제워크숍에서 우수상, 영농자재신문, 2023.01.01
9) 친환경 농자재 전문기업 효성오앤비, '백만불 수출의 탑' 수상, 한국농어민신문, 2022.12.13

3 스마트농업 관련 기업 소개

III. 스마트농업 관련 기업 소개

1. 그린랩스

1) 회사 소개

[그림 20] 그린랩스

소재지	서울 송파구 정의로8길 9
설립일	2017년 04월 26일
웹사이트	https://greenlabs.co.kr/
매출액	960억 (2021년 기준)

[표 6] 그린랩스 기업정보

2017년에 설립된 그린랩스는 스마트팜 솔루션 '팜모닝'을 통해 농가의 데이터 농업화를 추진하는 데이터 농업 스타트업이다. 2020년 7월에 출시된 팜모닝은 농업에 데이터를 입혀, 농민을 위한 통합적인 서비스를 제공하는 농업 플랫폼으로, 출시 1년 만에 30만 회원 농가를 달성하며 국내 3농가 중 1농가가 이용하는 농업 분야 대표 애플리케이션으로 성장했다. 또한 농업 현장에서 농민들이 겪는 대표적인 애로사항인 농산물 판매 서비스에 집중하고 농장 경영주의 합리적인 의사결정을 돕는 서비스를 대대적으로 보강하면서 농민들의 큰 호응을 불러일으켰다.

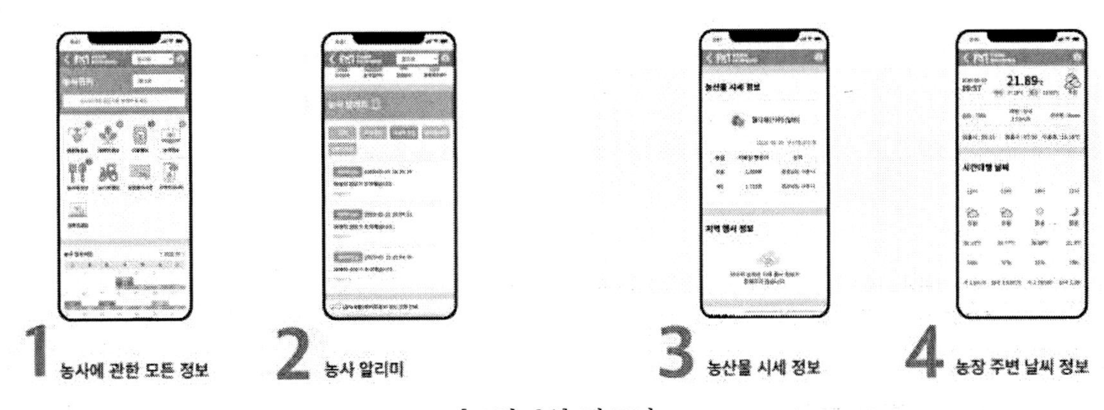

[그림 21] 팜모닝

2) 채용 공고

정규직	상시모집	**SAP 및 그룹웨어 운영 인턴** 경영지원
정규직	상시모집	**[Food Innovation Center] Business Development Lead** 사업개발
정규직	상시모집	**팜나비 그로스 마케터** 프로덕트/서비스
정규직	상시모집	**SAP MM 컨설턴트** 프로덕트/서비스
정규직	상시모집	**SAP FI 컨설턴트** 프로덕트/서비스
정규직	상시모집	**팜모닝 CRM 마케팅 팀장** 프로덕트/서비스

[그림 22] 그린랩스 정규직 채용 공고

그린랩스는 엔지니어, 농업전문가, AS 전담요원 등으로 구성된 70여명의 전문 인력을 보유하고 있으며, 20명의 연구개발 조직을 보유하고 있다. 이에, 다양한 분야에서 채용을 진행하고 있으며, 상시모집 형태로 13건의 채용을 진행하고 있다.

이 중에서 정규직은 9건의 채용을 진행하고 있으며, 진행중인 정규직 채용은 SAP 및 그룹웨어 운영 인턴, Food Innovation Center의 Business Development Lead, 팜나비 그로스 마케터, SAP MM 컨설턴트, SAP FI 컨설턴트, 팜모닝 CRM 마케팅 팀장, 스마트팜 수주영업, 팜모닝 퍼포먼스 마케팅 팀장, 콘텐츠 마케터다.

3) 채용 절차

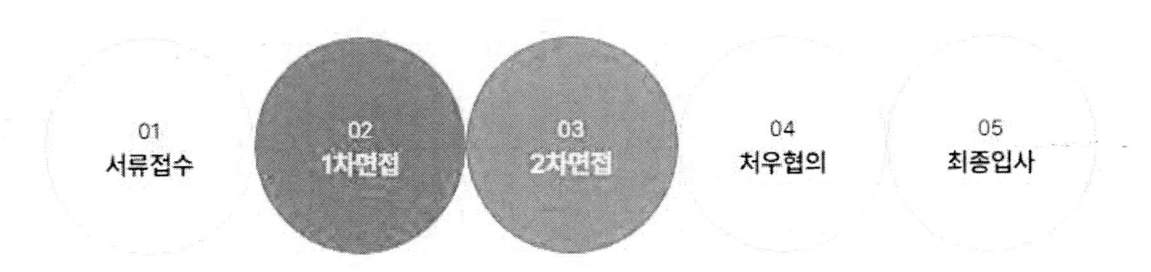

[그림 23] 그린랩스 채용 절차

그린랩스의 채용 절차는 서류접수, 1차면접, 2차면접, 처우협의, 최종입사로 진행된다.

1. 서류접수 :
공고를 확인하고 자유 양식의 이력서 및 경력 기술서, 포트폴리오를 제출한다. 이때, 출신 지역, 신체 정보, 가족 사항 등 직무와 관계없는 정보는 필요하지 않다.

2. 1차 면접 :
실무 리더 혹은 동료와 직무 역량과 경험에 대해 대화한다.

3. 2차 면접 :
경영진이 일하는 방식과 가치, 문화에 대해 이야기하고 적합도를 살펴본다.

4. 처우 협의 :
보상안을 협의하고 입사일을 조율한다.

4) 최근 이슈

최근 그린랩스파이낸셜이 금융위원회와 금융감독원으로부터 전자금융업 라이선스를 취득했다. 그린랩스파이낸셜은 전자금융업 등록인가를 마침에 따라 선불전자지급수단과 전자지급결제대행 업무 등을 활용한 페이 서비스와 PG 사업에 진출한다. 모회사인 그린랩스의 서비스에서 발생하는 모든 결제업무를 도맡는 것은 물론 국내외 농식품 금융상품 등 사업 영역을 지속적으로 확장해 나갈 계획이다.

그린랩스파이낸셜은 기존 PG(Payment Gateway)사에게 지급해오던 수수료를 절감해 농식품 종사자들을 위한 혜택도 마련한다. 농식품 종사자들이 결제할 때 다양한 프로모션을 제공하고 포인트 적립 등 각종 리워드 서비스를 통해 소비자 편익을 강화하겠다는 것이다. 아울러 금융사들과의 협업을 통해 농식품 특화 카드를 출시하고 결제 시 특별 포인트를 적립하는 등 다양한 페이서비스도 계획하고 있다.

또한, 식품산업 관련 타플랫폼에 PG사업자로 참여하고 오프라인 중심으로 결제가 이뤄지는 농자재산업을 디지털로 전환해 종사자들의 편익을 강화하는 등 수익모델을 다각화할 예정이다. 한편 그린랩스파이낸셜이 글로벌 기업 IME와 협업한 네팔의 대규모 농작물 생산 및 유통과 저탄소농산물 크라우드펀딩, 저탄소농가 탄소크레딧 거래 중개 등 사업영역을 전세계와 ESG까지 확장하면서 금융사업의 규모화도 이른 시일내에 달성할 수 있을 것이라는 게 전문가들의 평가다.[10]

10) 그린랩스파이낸셜, '전자금융업' 라이선스 받았다, 농축유통신문, 2022.12.29

2. 아이오크롭스

1) 회사 소개

[그림 24] 아이오크롭스

소재지	서울 서초구 효령로 17 (방배동) 청진빌딩 2층
설립일	2018년 8월 1일
웹사이트	www.iocrops.com

[표 7] 아이오크롭스 기업정보

최근 스마트팜으로 지어진 온실들은 대부분 자동제어 설비를 갖추고 있어, 설정값만 입력해 주면 자동으로 난방도 되고, 환기도 하고, 물도 줄 수 있다. 하지만 '설정값을 얼마로 입력해야 하는지', '작물의 상태와 환경에 따라 언제, 어떤 농작업을 해줘야 하는지'와 같은 주요 의사결정은 여전히 사람이 하고 있다. 이처럼 스마트팜 운영은 아직까지도 사람의 감각과 노하우의 영역이며, 개인이 이러한 경험을 축적하는 데에는 아주 오랜 시간이 필요하다는 문제점이 있다. 아이오크롭스는 이러한 현장의 문제를 해결하여 더욱 안정적으로 생산하고, 효율적으로 운영하는 기술을 개발하고, 기술을 적용한 농장을 건설하고, 직접 운영한다.

아이오크롭스의 ioFarm은 사람 대신 센서, 환경제어기, 로봇과 같은 HW를 통해 자동으로 데이터를 수집하고, AI와 데이터를 기반으로 가시화-진단-예측-처방에 이르는 일련의 프로세스에 따라 보다 정밀한 재배 의사결정을 가이드한다.

또한, 2021년부터 아이오크롭스는 경남 밀양에 있는 3,000평 규모 파프리카 농장을 직접 운영했는데, 그 결과, 아이오크롭스는 스마트팜을 직접 운영한 첫해에 경력 10년의 농부가 같은 환경에서 생산한 수확량보다 무려 30% 많은 파프리카를 생산해냈고, 양품(上등급)의 생산량도 20%나 개선했고, 에너지 비용도 12%나 절감했다.

2) 채용 공고

[그림 25] 아이오크롭스 채용 정보

아이오크롭스는 자사 홈페이지에서 채용을 진행하고 있으며, 진행중인 포지션은 프로덕트 디자이너 BX디자이너, 스마트팜 매니저, 데이터 사이언티스트, 프론트엔드 개발자, 백엔드 개발자, computer vision engineer, IT 서비스 기획/PM 어시스턴트, 스마트팜 운영 어시스턴트가 있다. 또한, 향후 오픈 예정인 포지션은 자금기획이 있다.

특히, BX 디자이너의 경우 주니어, 신입이 지원 가능하다는 특징이 있으며, Computer Vision Engineer의 경우 파트타임 혹은 원격근무가 가능하다. 또한 현재 모집중이 아니더라도 인재풀 등록할 수 있다. 데이터 사이언티스트, 프론트엔드 개발자, 백엔드 개발자, Computer Vision Engineer, IT 서비스 기획/PM 어시스턴트, 스마트팜 운영 어시스턴트의 경우 인재풀을 통해 모집을 진행하고 있다.

3) 채용 절차

입사 지원 → 서류 전형 → 1차 직무역량 면접 → 2차 컬쳐핏 면접 → 처우 협의 → 최종 합격

[그림 26] 아이오크롭스 채용 절차

1. 입사지원
지원동기가 포함된 간단한 자기소개와 이력서 및 경력기술서를 채용 이메일로 제출한다. 이때, 경력기술서에는 github 주소를 필수로 기재해야 한다. 또한, 채용에 필요하지 않은 과도한 개인정보 및 연봉정보는 포함하지 않아야 하며, 모든 서류를 PDF 형식으로 제출하는 것을 권장하고 있다.

2. 서류전형
서류전형 결과는 메일로 안내된다.

3. 1차 직무역량 면접
면접은 방역수칙을 준수하여 대면으로 진행되며, 입사 후 가장 많이 협업할 팀원 2~4명과 직무 관련 경험, 업무 성향 및 가치관에 대해 이야기를 나눈다. 개발 직무의 경우 기술 면접을 포함하여 진행된다. 면접 결과는 1주일 내로 안내되며, 혹시라도 결과 발표가 지연될 경우 사전에 안내된다.

4. 2차 컬쳐핏 면접
1차 직무역량 면접을 합격한 자에 한해 진행되며, 방역수칙을 준수하여 대면으로 진행된다. 이때는 다양한 직무의 팀원들을 만나 성향 및 가치관에 대해 이야기를 나눈다. 필요 시 2차 컬쳐핏 면접 종료 후 레퍼런스 체크가 진행될 수 있다. 면접 결과는 1주일 내로 안내되며, 혹시라도 결과 발표가 지연될 경우 사전에 안내된다.

5. 처우 협의
2차 컬쳐핏 면접 합격자에 한해 진행되며, 처우 협의는 비대면으로 진행된다. 비대면 협의 후 근무 조건이 기재된 오퍼레터를 전달받는다.

6. 최종합격
오퍼레터를 승낙하는 과정을 거치면 HR 담당자가 아이오크롭스 입사를 안내한다.

4) 최근 이슈

애그테크(Agtech) 스타트업 '아이오크롭스'가 36억 원 규모 추가 투자유치를 하며 시리즈 A 라운드를 클로징 했다. 상반기 캡스톤파트너스, BNK벤처투자, 인라이트벤처스, 서울대기술지주로부터 34억 원을 확보했으며 하반기 DSC인베스트먼트, CKD창업투자, 쿼드벤처스가 신규 투자사로 합류하며 36억 원을 추가 확보했다. 아이오크롭스는 시리즈A 라운드를 70억 원으로 클로징 했으며 누적 투자금은 91억 원 규모이다.

아이오크롭스는 중기부 팁스(TIPS) 프로그램 선정, 2020년 네덜란드 세계농업인공지능대회(AGC) 세계 3위 수상, 2021년 네덜란드 Wageningen University가 주관한 Public-Private Partnership 실증연구 프로젝트 선정 등 기술적으로 좋은 평가를 받아왔다.[11]

아이오크롭스는 최근 협동로봇 제조기업인 뉴로메카와 스마트팜용 농업로봇 개발을 위한 업무 협약을 체결했다. 양사는 이번 협약을 통해 이동형 협동로봇 플랫폼 및 데이터 기반 종합 생육 모니터링 관리 서비스를 개발하고, 스마트팜 실증을 통한 상용화로 관련 분야를 선점하겠다는 목표를 밝혔다.[12]

---

11) AI 기반 스마트팜 운영사 '아이오크롭스', 36억원 추가 투자유치…70억 원으로 시리즈A 클로징, 플래텀, 2022.12.14
12) 아이오크롭스, 뉴로메카, 스마트팜 이동형 협동로봇 개발 업무협약, 벤처스퀘어, 2021.08.31

3. 엔씽

1) 회사 소개

[그림 27] 엔씽

소재지	서울 강남구 압구정로42길 54, 1층-3층
설립일	2014년 01월 10일
웹사이트	https://nthing.net
매출액	5억 7,228만원 (2021년 기준)

[표 8] 엔씽 기업정보

2014년 설립된 엔씽은 '모듈형 수직 농장'에 특화된 경쟁력을 보유하고 있는 스마트팜 스타트업이다. 당사는 설립이후 IoT 기반의 스마트화분 '플랜티' 출시를 시작으로, 2017년 컨테이너 수직농장 프로토타입 개발에 성공하며 스마트팜 시장 진출에 본격적으로 착수했다. 현재는 경기도 용인에 15개동 규모의 스마트팜 단지를 구축하여 운영하고 있다.

엔씽은 농업 스타트업 중 최초로 세계 최대의 국제 전자제품 박람회 'CES 2020'에서 'CES 최고혁신상'을 수상한 바 있으며, 2021년에는 두바이 자이텍스 퓨처 스타즈 2021의 참가기업으로 선정되는 등 세계무대에서 당사의 기술력과 경쟁력을 입증받고 있다.

최근에는 국내 최초의 스마트팜 쇼룸 '식물성 도산'을 강남구 도산공원 인근에 오픈하였으며, 당사의 모듈형 컨테이너 수직농장인 '큐브(CUBE)'를 매장 내부에 설치함으로써 새로운 공간적 경험을 제공하고 있다. 또한 사막기후로 인하여 작물 재배에 제약이 있는 아랍에미리트에 300만 달러 규모의 수직농장 진출을 성공시키며 해외 시장 진출 또한 확대하고 있다.

2) 채용 공고

모집부문	담당업무	자격요건 및 우대사항
스마트팜 재배기 설계 및 개발 담당자	• 실내 수직농장 재배기 및 설계/개발 • 컨테이너형 실내 수직농장 레이아웃 설계 (배치도 작성) • 농장 시설 및 설비 개발 • 실내 수직농장 전기/설비 시공 가이드(도면) 작성 • 실내 수직농장 재배기 설치 가이드(도면) 작성	[자격요건] • 2D/3D 설계 툴 사용 가능자 (인벤터, 오토캐드 등) • 꼼꼼한 성격에 책임감이 강하신 분 • MS-Office 등 오피스 툴 사용 가능자 • 영어회화 가능자 • 현장/출장 근무가 가능하신 분. [우대사항] • 컨테이너 생산, 개조 등의 업체 경험이 있으신 분 • 인테리어 시공, 기계/건설 현장 시공 경험자 • 자가차량 사용 가능자 (차량유지비 최우선 고려) • 사출제품, 판금제품, 기구설비 등 일련의 개발과정 유경험자 (컨셉-설계-목업-양산준비 등)

[그림 28] 2022년 스마트팜 재배기 설계 및 개발 담당자 채용 공고

엔씽은 2022년 재무회계 담당자 경력직, 총무/복리후생 담당자 경력직, 스마트팜 기술 시공 및 관리 담당자 신입 및 경력직, 스마트팜 재배기 설계 및 개발 담당자 신입 및 경력직을 채용했다.

◎ 근무조건

- 고용형태 : 정규직(수습 3개월)
- 급여 : 회사내규에 따름
- 근무 시간 : 주5일(월~금)
- 근무지역 : 서울 강남구

[그림 29] 엔씽 근무조건

엔싱의 근무조건은 수습 3개월 이후 정규직이며, 서울 강남구에서 근무하게 된다.

3) 채용 절차

○ 전형절차

- **서류전형 > 인적성 검사 > 1차면접 > 2차면접 > 처우제안 및 합류결정 > 최종합격**

[그림 30] 엔씽 채용 절차

1. 지원서 접수
이력서는 본인의 역량과 성장 가능성을 구체적으로 알아볼 수 있는 자료로 자유롭게 작성한다. 이때, 그동안 무수히 경험한 순간들을 단순히 나열하기보다는, 경험 속에서의 임팩트와 러닝 포인트를 구체적으로 작성하는 것이 좋다. 개발 직군의 경우, 기술 숙련도를 파악하기 위해 이력서 상에 기술 스택을 꼭 작성해야 한다.

주민등록번호, 자택 주소, 연봉과 같이 민감한 개인 정보는 이력서 필수 사항이 아니다. 또한, 한글/워드로 작성된 이력서는 폰트 깨짐 등이 발생할 수 있으니 PDF 파일로 변환 후 제출한다.

2. 실무 & 인성 면접
1) 인적성 검사
기본적인 조직적합도를 확인하고 지원자를 이해하기 위한 전형이다.

2) 1차 면접
1차면접에서는 본인이 지원분야와 얼마나 잘 맞는지 확인하는 인터뷰가 진행된다. 면접관은 엔씽에 합류 시 회사에서 보내는 시간에 가장 많이 대화를 할 크루가 직접 면접을 진행한다.

3) 2차 면접
2차면접에서는 서로 추구하는 가치관과 생각이 맞는지를 확인하는 인터뷰가 진행된다. 면접관은 엔씽의 경영진과 진행된다.

3. 처우제안 및 합류 결정
처우현황을 파악하기 위한 자료를 엔씽에서 요청하며, 처우 협의를 진행한다. 공식 Offer Letter를 통해 팀에서 제안하는 최종 처우를 안내하며, 지원자와 팀의 일정에 맞춰 입사 일정 조율을 진행한다. 이때, Leader 포지션의 경우, 지원자의 동의하에 레퍼런스 체크가 진행될 수 있다.

4) 최근 이슈

최근 엔씽은 한국경영혁신중소기업협회가 주관하고 중소벤처기업부가 후원하는 '2022 중소기업경영혁신 공모전'에서 중소벤처기업부 장관상인 최우수상을 수상하였다. 2022년 5회째를 맞이하는 중소기업 경영혁신 공모전은 경영혁신을 통해 기업과 고객가치를 실현하고 일자리 창출 등 국민경제 활성화에 기여한 사례를 발굴 및 포상하여 경영혁신 문화를 확산하고자는 목적으로 매년 개최되고 있다.

엔씽은 수직농장을 통한 도시농업 활성화로 식량위기 대처 기술을 확보하여 농업의 디지털 전환과 친환경 스마트팜 기술보급으로 농업기술의 고도화를 통한 ESG 경영 혁신에 대한 사례로 2022 중소기업경영혁신 최우수상에 선정됐다. 엔씽은, 저탄소 물류거리 확보와 생산에서 재배, 출하가 한 곳에서 이뤄지는 도심형 수직농장의 선순환 구조를 확립한 이천 농장의 가동을 시작으로 작물 재배, 유통과 공급망을 포괄하는 ESG 경영에 한층 더 다가선 지속가능한 먹거리 밸류체인 혁신의 구체적 대안을 제시하며 안정적 공급체계를 구축해 가고 있다. 이번 수상으로 "ESG 경영에 대한 의미를 되짚어 보고, 앞으로도 고유의 ESG 이야기를 만들어가는 실천 사례와 기술혁신을 위해 노력할 것"이라고 회사측은 밝혔다.[13)]

또한, 엔씽은 삼성증권을 주관사로 선정하고 코스닥 상장을 위한 첫 발을 뗐다. 애그테크 스타트업의 상장 소식인 만큼, 이번 기업공개(IPO)에 업계의 귀추가 주목된다. 업계에 따르면 복수의 사전 협의와 프레젠테이션(PT)을 진행한 뒤 삼성증권을 상장 대표 주관사로 선정했다.[14)]

---

13) 엔씽, '2022 중소기업경영혁신' 최우수상 수상, 플래텀, 2022.11.16
14) 엔씽, 애그테크 스타트업 IPO '본궤도' 진입, 플래텀, 2022.12.05

4 농업 분야 취업을 위해 알아두면 좋은 정보

IV. 농업 분야 취업을 위해 알아두면 좋은 정보

1. 농업 관련 산업의 종류

1) 농업 관련 산업의 개념

애그리비즈니스(Agribusiness)를 구성하는 산업군은, ① 농기구, 농약, 화학비료 등의 농업생산자재 산업, ② 농업부문 ③ 농산물 가공업 ④농산물의 유통부문으로 구분되어 있다.

농업 관련 산업이 어떻게 정의되느냐에 따라 농업 관련 산업의 범위와 GDP가 달리질 것이다. 농업 관련 산업이라는 용어는 농업의 제 기능이 분화되어 발생한 새로운 상공업과의 상호 관련 기능이 증대됨에 따라 이를 적절히 표현하기 위해 등장했다.

1957년 하버드 대학의 데비스(John H. Davis)와 골드버그(Roy A. Goldberg)가 농업 관련 산업이란 용어를 처음 사용하였으며 이들의 정의에 따르면 농업 관련 산업은 "농업 내의 자재 공급 산업, 농산물의 저장, 가공, 판매와 관련된 모든 산업을 통합한 것이다."

오늘날 농업 관련 산업은 광의의 개념과 협의의 개념으로 구분된다. 협의의 개념으로 농업과 관련을 맺고 있는 투입재 산업과 관련소비 산업 그리고 저장, 가공 및 유통 부문 즉, 농업과 관련된 비농업 부문의 산업을 총칭하는 것이다.

광의의 개념(Davis. Goldberg, 1957)으로 농업 관련 산업은 전통적인 농업생산 부분을 포함하여 농업과 관련을 맺고 있는 농용 자재나 농산물을 원료로 한 상품의 가공·저장 등 유통산업의 총체와 농업금융, 농업 서비스 등이다. 즉 농업이란 산업과 같은 의미이지만 사업적 측면을 강조한 것이다. 농업이 농업 관련 산업으로 진화되어 농업생산 부분을 훨씬 뛰어넘어 소비자에게 식료품과 공업생산 원료를 조달하는 광범위하고 복잡한 체계가 된 것이다.

광의의 개념에 따라 농업 관련 산업을 투입부문(input sector), 생산부문(farm sector), 생산물 시장부문(product sector)으로 구분할 수 있다.

① 투입부문

투입 부문은 농민이 작물이나 가축을 생산하는 데에 필요한 자재(종자·사료·비료·농약·농기계)의 생산·유통 부문을 담당하며, 농산물의 생산 효율성 증대에 결정적 역할을 수행한다.

② 생산부문

생산 부문은 농용자재 및 생산요소를 이용한 직접적인 활동 부문을 말하며, 농업생산 및 가축의 번식과 생산, 식물·임원의 육종 및 생산 부문이 이에 속한다.

③ 생산물 시장부문

생산물 시장 부문은 농산물 생산자로부터 최종 소비자에게 분배되는 과정, 즉 농산물과 부산물의 검사·가공·저장 등의 유통 관련 부문이다.

농업 관련 산업은 농지를 경작하여 농산물을 생산하는 것뿐만 아니라 투입자재(예: 종자, 비료, 농약, 농기계, 농업금융)을 공급하는, 농산물을 가공·제조(예: 종자, 비료, 농약, 농기계, 농업금융)를 공급하는, 농산물을 가공·제조(예: 우유, 곡물, 고기, 아이스크림, 빵)하는 사람, 그리고 식료품을 소비자에게 수송 저장하고 판매(예: 슈퍼마켓, 식당)하는 사람과 기업을 모두 포함한다. 농업 관련 산업은 계속 새로운 형태로 전환되고 성장하고 있으며 산업별로 더 구체적으로 특화되고 있다. 따라서 농업 관련 산업의 정의도 달라질 수 있다.

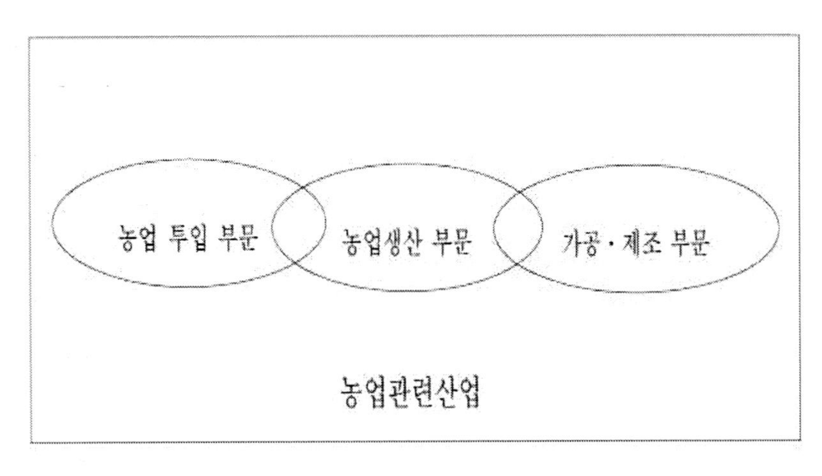

[그림 31] 농업 관련 산업의 개념

2) 농업 관련 산업의 분류

농업 관련 산업을 어느 범위까지 정의하느냐는 전반적인 분석의 대상을 명확히 하는 데 기초가 된다. 보통 농업관련 산업은 직접적 농업 생산부문을 중심으로, 후방연쇄효과가 큰 투입부문과 전방연쇄효과가 큰 생산물 시장 부문까지를 포함한다.

(1) 생산관련분야

전통적인 농업 활동을 포함시켜, 위에서 논한 농업 관련 산업의 정의와 유사하게 산업을 분류하여 분석하였다. 크게 생산 관련 산업 분야와 생산외 관련분야로 분류되며 생산 관련 산업 분야는 다시 아래의 세 개 부문으로 나뉘어 진다.

① 농림수산 생산업
농림수산 생산업은 직접적인 농산, 임산, 수산물을 생산하는 산업을 지칭한다. 주로 기존 전통적 산업 구조하에서 중시된 분야이다.

② 농업 투입재 산업
농업 투입재 산업은 종자, 비료, 농약, 농기계, 배합사료 등 농업 생산에 필요한 자재를 공급하는 부문으로서 특히, 농업 생산성 증대와 관련 있는 부문으로 후방연관효과가 깊은 분야이다.

③ 농업경영지원 산업

농업경영지원 산업ㄹ은 경영 컨설팅, 금융, 정보처리, 기술 개발, 수의업, 위탁 영농, 행정 지원 등 농업 생산과 관련된 모든 사항 등을 지원하는 부문이다. 이 산업 분야는 농림업 생산방식의 분업화와 전문화 추세 강화로 중요성이 새롭게 대두되는 분야이다.

(2) 생산 외 관련분야

생산 외 관련 분야는 다시 식품 가공 산업, 유통·운송업, 무역업, 외식산업, 목재·종이 및 석재업 등 주로 생산된 농수산물을 가공, 저장, 판매하는 기능을 맡은 부문이다. 주로 이 산업 분야는 전방연관효과가 매우 큰 산업들로 구성되어 있다.

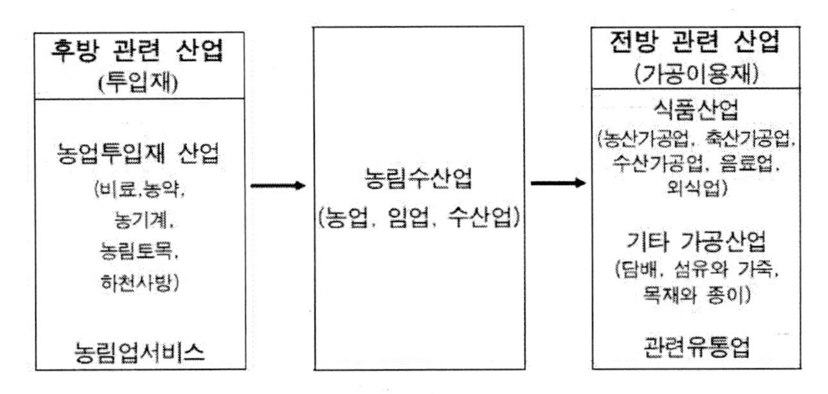

[그림 32] 농업 관련 산업의 구분

(3) 산업 연관표 상의 관련분야

산업 연관표를 이용하여 포괄 범위 내 산업 부문에서 상호 의존 관계가 어느 정도 나타나는지를 조사하였다. 기존의 포괄 범위 내 부문들이 실제 농림생산업을 중심으로 유효한 상호 의존 관계를 형성하며 발전해 왔는지를 분석해 보는 것이다.

예컨대, 농림생산업을 중심으로 투입부문과의 의존 관계, 즉 후방연관효과는 열(列) 방향의 투입계수를 통해서 알 수 있고, 또한 농림생산업과 연계하여 수요부문과의 의존 관계, 즉 전방연관 효과는 행(行) 방향의 투입계수를 통해 확인해 볼 수 있다.

2. 농업 관련 산업 응용분야

1) 종자산업[15)]

"종자"는 증식, 지배, 양식용으로 쓰일 수 있는 씨앗, 버섯 종균, 및 영양제 또는 포자 등을 의미한다. 최근 종자를 육성, 증식, 생산, 조제, 양도, 대여, 수출, 수입 등을 통해 농산물, 수산물, 축산물 등과 같은 산업에서 활발히 응용 연구가 진행되고 있다. 과거에는 단순히 식용으로만 활용되던 농업기술에서 근래에 들어 제약산업, 식품산업, 화장품 산업 등에 핵심 원료로써 활용범위가 확대됨에 따라 종자의 역할이 부각되었다.

또한, 생명공학기술과 같은 첨단기술들을 활용하여 국내외에서의 지속적인 R&D에 대한 노력으로 식물 종자 관련 분야가 미래 신성장동력 분야로 자리매김하고 있다. 현재 고부가가치로써 국내에서는 생명공학기술 등과 같은 첨단기술을 활용하여 향후 발생할 수 있는 식량 수급의 불안정성을 해소하기 위해 우량 종자 확보에 힘을 쏟고 있다.

종자 산업은 농산물·수산물·축산물 생산을 위해 신규 품종을 육성하고, 이렇게 육성된 품종을 생산, 증식, 조제, 수입, 수출 등 관련 사업과 연계하는 것으로, 생산된 농·수·축산물의 특징을 결정하는 핵심요소로 전반적인 생산이 기반이 된다.

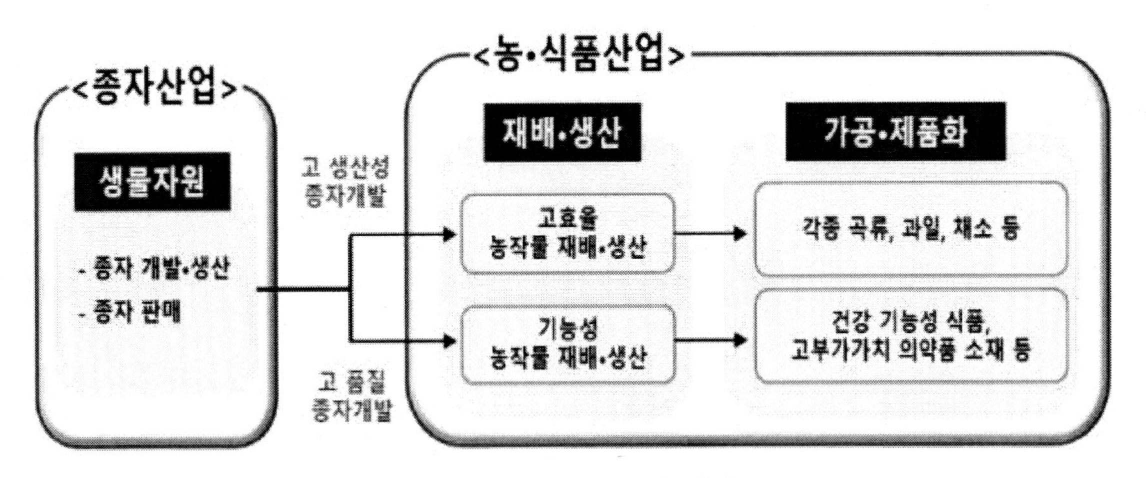

[그림 33] 종자 산업의 역할

2) 스마트팜

스마트 팜은 협의의 스마트 팜과 광의의 스마트 팜으로 분류된다. 협의의 스마트 팜은 ICT기술을 온실, 축사, 과수원 등에 접목해 원격 및 자동으로 작물과 가축의 생육환경을 적절히 제어할 수 있는 농장을 의미한다. 사물인터넷(IoT) 등의 기술로 농작물 시설의 온도와 습도, 일조량 등을 측정분석하고, 모바일기기를 통해 원격제어를 하는 것 등이 이에 해당한다. 그러나 ICT기술은 단순히 농업생산뿐만 아니라 농산물 유통 및 소비 등 다양한 영역을 효율화하고 새로운 부가가치를 창출하는 데까지 그 활용영역이 확대될 수 있다.

---

15) 농우바이오, 한국 IR협의회, 2021.12.09

이에 따라 광의의 스마트 팜 개념이 대두되었는데, 광의의 스마트 팜은 생산 분야 외, 유통·소비 및 농촌생활에 이르기까지 농업과 관련된 다양한 영역을 포괄하는 개념이다. 구체적으로는 생산, 유통, 소비 등 농·식품의 가치사슬(value-chain)에 ICT의 융·복합을 통해 생산의 정밀화, 유통의 지능화, 경영의 선진화 등 상품, 서비스, 공정혁신 및 새로운 가치를 창출하는 것을 의미한다.

3) 인공토양

인공토양은 나무의 뿌리 발달을 촉진시키며 필요양분을 공급하여 흙보다 더 얇은 두께에서 나무가 살 수 있도록 해주는 역할을 한다. 원래 생토는 무균, 보수, 통기, 양분의 완전성 등이 필요한데 자연보다 유리한 경우가 많고, 육묘기술도 같이 발전된다. 옥상 같은 곳에 조경을 할 경우 나무를 심기 위해서 일반적인 흙을 사용하게 될 때 두께도 두껍기 때문에 무게가 무거워 지므로 바닥을 튼튼하게 해야 하는데, 인공토양은 이런 문제점을 해결해 주기 위해서 사용하기 시작한 것이다.

토양을 무기물토양과 유기물토양으로 나누게 되면 무기물토양은 자연토양과 인공토양으로 나눌 수 있는데 인공토양의 종류로는 질석, 펄라이트, 피트모스, 암면, 수태, 바크 등이 있다. 인공토양 (Artificial Culture Media) 산업은 산업 분류 상, 농자재 산업 중 <육묘상토(배양토)> 산업과 비료산업 중 <식물생리활성제 및 토양 미생물제> 산업에 모두 해당한다.

4) 친환경비료

비료는 식물에 영양을 주거나 식물의 재배를 돕기 위하여 흙에서 화학적 변화를 가져오게 하는 물질과 식물에 영양을 주는 물질이다. 보통비료와 부산물비료로 구분할 수 있고 보통비료는 다시 화학비료와 상토로 나누어진다. 부산물비료는 부숙 유기질비료(가축퇴비 등) 유기질비료(유박, 혼합유박 등), 미생물비료로 나누어진다.

친환경 비료는 유기질비료라고도 하며 무기질 비료의 상대 개념으로 사용하고 있다. 유기질비료는 자연생성 무기양분(N, P, K등)을 다량 함유하고 있으며, 미생물의 먹이가 되어 분해시 각종 아미노산, 유기산, 핵산, 부식 등이 타 비료에 비해 월등하다. 유기질비료에는 식물성 유기질비료와 동물성 유기질비료가 있는데 식물성 유기질비료는 혼합유박, 채종 유박, 면실유박, 미강유박, 대두박 등이 있으며, 동물성 유기질 비료에는 어박, 골분, 중피혁제 등이 있다.

구분		재료와 종류
보통 비료	화학비료	질소질비료, 인산질비료, 칼리질비료. 복합비료. 석회질비료, 규산질비료. 고토비료, 미량요소비료 등
	상토	상토1호, 상토2호
부산물 비료	부숙 유기질비료	가축분퇴비, 퇴비, 부숙겨, 분뇨잔사, 부엽토, 건조축산폐기물, 가축분뇨발효액, 부숙왕겨, 부숙톱밥
	유기질비료	어박, 골분, 잠용유박, 대두박, 채종유박, 면실유박, 깻묵, 낙화생유박, 아주까리유박, 미가유박, 혼합유박, 가공계분, 혼합유기질, 맥주오니 등
	미생물비료	토양미생물제제

[표 9] 비료의 분류(비료관리법)

5 미래 농업의 핵심, 스마트 팜

V. 미래 농업의 핵심, 스마트 팜

1. 스마트팜의 필요성

국제연합 식량농업기구(FAO)는 50년 후 전 세계 인구가 약 90억 명에 이를 것이며, 현재의 식량 증산 수준에 큰 변동이 없다면 기아 인구가 증가 될 것이라고 전망했다. 따라서 우리는 향후 기아 인구 증가를 방지하기 위한 돌파구로 스마트 팜(Smart Farm) 기술에 주목하고 있으며, 이를 통해 현재의 식량 수준을 증대 시킬 수 있을 것으로 예상된다.

우리나라 역시 농업분야에서 농촌인구의 감소 및 고령화, 곡물자급률 하락, 농가소득 정체, 한반도 기후변화 심화 등의 어려움을 겪고 있다. 특히, 국내에서는 농업 인구 감소 및 고령화 추세가 뚜렷한데, 농림어업조사 결과에 따르면 2021년 12월 기준 고령화에 따른 농업포기, 전업 등으로 인하여 전년에 비해 농가는 4천 가구(-0.4%), 농가인구는 9만 9천 명(-4.3%) 감소한 것으로 나타났다. 총 가구 중 농가 비중은 4.4%, 총인구 중 농가인구 비중은 4.3%로 전년에 비해 0.2%p감소했다.

	2017	2018	2019	2020(A)	2021(B)	증감 (C=B-A)	증감률 (C/Ax100)
농가	1,042	1,021	1,007	1,035	1,031	-4	-0.4
농가비중	5.3	5.1	5.0	4.5	4.4	-0.1	-
농가인구	2,422	2,315	2,245	2,314	2,215	-99	-4.3
남자	1,184	1,130	1,100	1,153	1,100	-53	-4.6
여자	1,238	1,185	2,145	1,161	1,115	-45	-3.9
성비	95.7	95.4	96.1	99.4	98.6	-0.7	-
농가인구 비중	4.7	4.5	4.3	4.5	4.3	-0.2	-

[표 10] 농가 및 농가인구(2017년~2021년)

이처럼 농가의 인구는 매년 소폭 감소하고 있으며, 선진국에 비해 우리나라 농·식품 산업 경쟁력은 낙후 되고 자본생산성은 지속적으로 하락하여 농업 생산성이 선진국과 격차가 확대되고 있다.

최근 스마트 팜과 더불어 6차 산업 역시 귀농·귀촌 진입 장벽을 낮추고 있다. 6차 산업은 1차 산업(농림수산업), 2차 산업(제조 가공업), 3차 산업(서비스업)을 융합(1 x 2 x 3= 6)해 고부가가치 발생시키는 산업으로, 이를 통해 농업 경험이나 기술이 부족하다 하더라도 아이디어를 통해 성공적인 귀농·귀촌을 이룰수 있도록 돕는다.

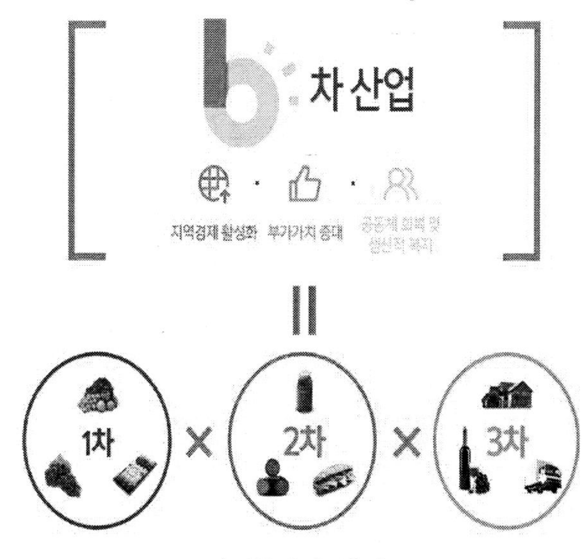

그림 35 6차 산업

실제로 농촌으로 삶의 터전을 옮기고서 6차 산업과 스마트팜을 발판으로 성공을 거둔 귀농인이 속속 등장하고 있다. 즉, 농업 가치 전반에 있어서 ICT 융합기술을 통해 고기능·고효율을 달성을 목표로 6차 산업과 스마트팜을 통해 현재 농촌이 겪고 있는 문제를 극복할 수 있다는 것을 보여주는 것이라고 할 수 있다.

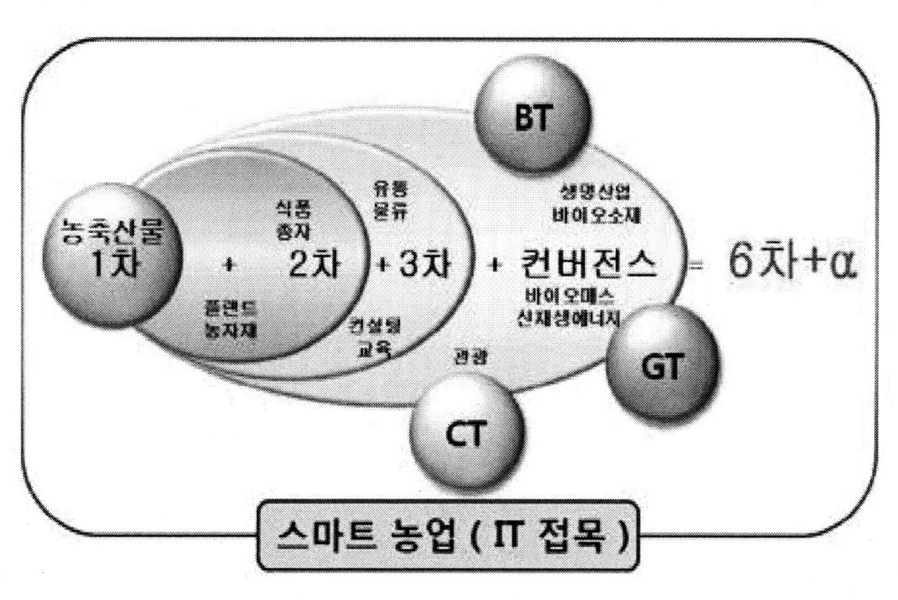

그림 36 스마트 농업의 확대 분야

2. 스마트팜의 기대효과

스마트팜 구축·운영의 기대효과로는 최적화된 생육환경 제공으로 투입재, 노동력 절감, 통제된 첨단시설을 통해 연중 안정적인 생산과 바이어 요구에 대한 유연한 대응, 전문 재배사, 소프트웨어 개발자, 사물인터넷 서비스 기업 등 청년 일자리를 창출, 병해충·질병 감소, 악취 관리, 불필요한 양분 공급 감소 등이 있다.

다양한 스마트 팜의 기대효과 중 노동력 절감은 가장 큰 기대를 받고 있다. 우리나라를 보면 농가 인구는 매년 감소하고 있으며, 그 농가 인구의 46.8%가 고령층이기 때문에 노동력이 현저히 부족한데, 이를 스마트 팜과의 접목을 통해 해결할 수 있을 것으로 전망된다.

	2020년	2024년
농업 저수지 관리 자동화율 (전국 93대 권역, %)	71	89
채소가격안정제 계약체결 비율 (%)	15	30
스마트팜 혁신밸리 (개소)	0	4
미세먼지 차단숲 조성 (ha)	93	530

[표 11] 지표로 본 5년 후의 모습

현재 농업에서의 큰 문제점 중 다른 하나는 수입 농산물이 매년 증가하고 전체 산업에서 농업의 비중은 계속 낮아지고 있다는 것이다. 국내 총생산 중 농림어업이 차지하는 비중은 2018년 2.7%에서 2021년 1.8%로 감소하였다. 이처럼 현재 국내에서는 농업활성화를 위한 대책 마련이 시급한 상황인데, 스마트 농업 기술이 추진되면 이를 해결할 수 있을 것으로 전망된다.

스마트 농업의 기대 효과로는 발달된 기술과 경영 시스템을 통해 농업 경쟁력을 강화할 수 있으며, 농작물 유통의 비효율성을 해결하기 위해 전자상거래 등을 이용함으로써 농산물 유통 효율이 높아 질것으로 기대된다. 또한 이에 따라 컨설팅, S/W, 농기자재 기업 등에서 고용이 창출 될 것으로 기대된다.

이외에도 스마트 팜을 이용하면 생산성 향상, 병해충·질병 감소, 창년 창업 생태계 조성과 같은 기대효과를 얻을 수 있다. 이에 대해 자세히 살펴보도록 하자.

1) 생산성 향상

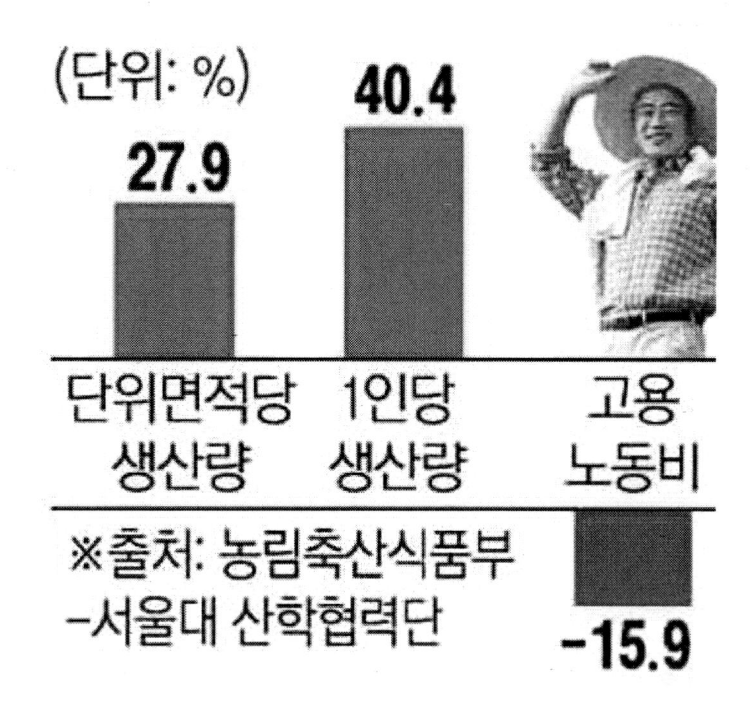

[그림 37] 스마트 팜 생산성 분석

스마트 팜은 생산성을 증가시키고 노동력을 절감시키는 효과가 크다. 2018년 농림축산식품부는 '2018년 대한민국 혁신성장 보고대회'에서 8대 선도사업 중 하나인 스마트 팜 정책의 추진 성과를 발표했다. 농림축산식품부에 따르면, 시설원예 스마트 팜의 보급 면적이 1년 사이 2배 증가하며 생산성 또한 약 30% 개선되었다.

2017년 문재인 대통령 주재 '혁신성장 전략회의'이후 농림축산식품부는 스마트팜 보급사업 지원을 확대해왔는데, 그 결과 2017년 시설원예 스마트 팜 누적 보급 면적은 4010ha로, 1년 전의 1912ha보다 2.1배 증가했다. 또한, 2014년의 시설원예 스마트 팜 보급 면적이 405ha였던 점을 감안하면 3년 새 10배 가까이 증가한 것이다.

축산 스마트 팜도 2017년 누적 790ha로, 1년 전 411ha보다 1.9배 증가했으며, 2014년의 23ha보다는 34.4배 가까이 증가했다.

한국농산업조사연구소 조사에 따르면, 스마트 팜 보급은 농가 생산성을 약 30% 증가시켰으며, 고용노동비는 8.6% 감소시키는 효과를 보인 것으로 나타났다. 이는 원격제어를 통해 사람이 직접 농장을 찾는 횟수가 줄고, 과학적 관리로 질병을 예방해 병해충 방제 시간 등을 단축한 덕분에 달성했다고 할 수 있다.

2) 병해충·질병 감소

농촌진흥청의 시설딸기의 재배 편의성을 높이고 온실 내부의 재배 환경을 개선하는 '정보통신기술 융합 시설딸기 온도와 습도 환경제어 시범사업' 결과, 잿빛곰팡이는 줄고 농가 만족도가 높게 나타났다.

본 사업의 기술을 양주, 속초, 옥천, 익산, 순천 등 전국의 시설딸기 재배농가 10개소에 적용한 결과, 온실 내부의 습기가 제거돼 환경이 쾌적해지고 일부 시범농가에서 잿빛곰팡이 발병률이 20% 감소했다. 또한 이용 농가 92%가 보급 기술에 대해 만족했다.

또한, 축산시설에 온도·습도 수집 및 사료 자동 급이장치, 송아지 젖먹이 로봇 등 ICT 융복합 장비를 설치하고 도입 전과 도입 후 2년간의 생산성을 분석한 결과, 암소의 비 임신 기간을 나타내는 평균 공태일은 60일 이상에서 45일로, 송아지 폐사율은 약 10%에서 5%로 줄어든 것으로 나타났다.

3) 청년 창업 생태계 조성

영농지식과 기반이 없는 청년도 작물 재배기술, 스마트기기 운용, 온실관리, 경영·마케팅 등의 기술을 통해 스마트팜을 운영할 수 있다. 따라서 스마트팜은 청년들이 농업에 도전할 수 있는 생태계를 구축할 수 있다.

정부 역시 오는 2022년까지 5년 내 스마트팜 청년 농업인(39세 이하) 600명을 육성함으로써 청년일자리를 증가할 계획이다. 이를 위해 스마트팜 창업 청년에게 싼 임대료로 땅을 빌려주고 최대 30억 원까지 대출 해주기로 했다.

또한 4개의 스마트팜 혁신 밸리를 조성하여 청년창업보육센터와 청년 임대형 스마트팜, 스마트팜 실증단지를 건설한다. 스마트팜 혁신밸리는 스마트팜 집적화, 청년창업, 기술혁신 등 생산·교육·연구 기능이 집약된 첨단 융복합 클러스터를 의미한다.

농식품부는 2017년 기준 시설원예 4천 10ha, 축사 790호인 스마트팜 규모를 2022년까지 7천 ha, 5천 750호까지 확대될 것으로 보고 있다. 보육센터를 수료한 청년 농업인 등은 막대한 초기 시설투자 없이, 적정 임대료만 내고도 스마트팜 창업이 가능하다.

3. 스마트팜 분류

스마트팜은 온실의 온습도, CO2 등을 모니터링 하고 최적의 생장환경을 조성하는 시설 원예 부문, 기상상황이나 모니터링을 통해 자동으로 관수, 병해충을 관리하는 과수 부문, 축사의 온습도, 축사의 환경을 모니터링하고 사료 및 물 공급시기와 양 등을 원격자동으로 제어하는 축산 부문으로 나눠질 수 있다.

또한, 생산량이 증가함에 따라 시장 활동과 연결되며 이에 도움 되기 위해 스마트 유통, 경영 등이 발전하기 시작하고 있다.

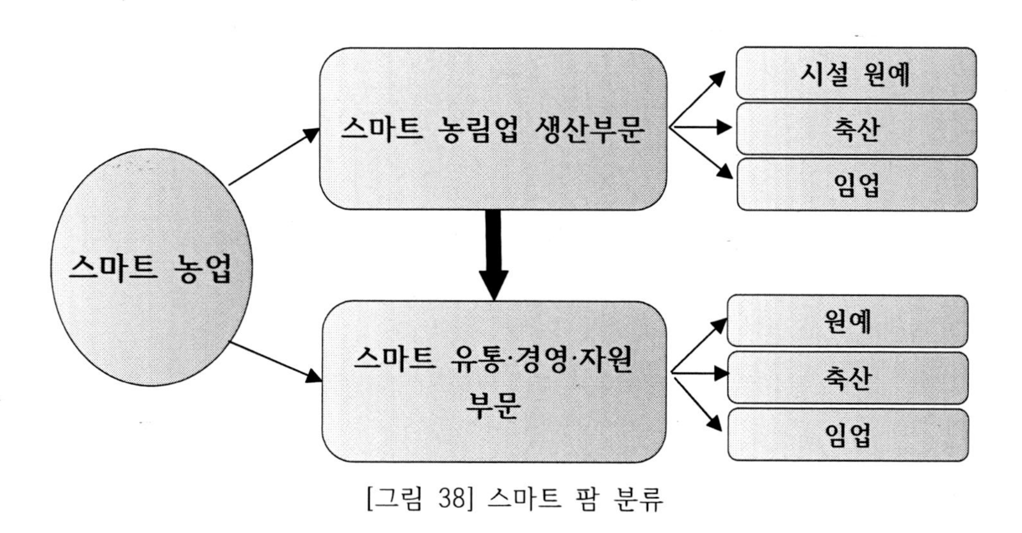

[그림 38] 스마트 팜 분류

1) 시설원예 분야

시설원예 분야에서 스마트 팜은 PC 또는 모바일을 통해 온실의 온·습도, 이산화탄소 등을 모니터링하고 창문 개폐, 영양분 공급 등을 원격자동으로 제어하여 재배하는 작물의 최적 생육 환경을 유지 관리 할 수 있는 농장을 목표로 한다.

구분		세부내역
환경 센터	내부	온도, 습도, CO2, 토양수분(토경), 양액측정센서, 수분센서
	외부	온도, 습도, 풍향/풍속, 강우, 일사량 등
영상장비		적외선카메라, DVR(녹화장비) 등
시설별 제어 및 통합제어 장비		환기, 난방 에너지 절감시설, 차광 커튼. 유동팬, 온수/난방수 조절, 모터제어, 양액기 제어 등
최적 생육 정보관리 시스템		실시간 모니터링 및 시설물 제어 환경 및 생육정도 DB분석시스템

[표 12] 스마트 온실 주요 구성요소

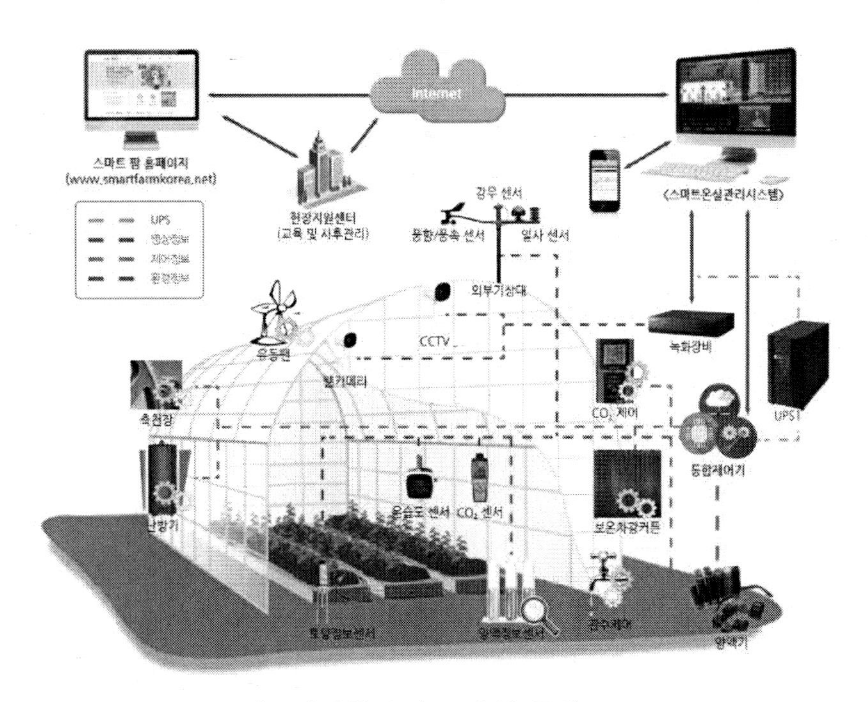

[그림 39] 스마트 온실 구성도

2) 과수분야

과수분야에서 스마트 팜은 PC 또는 모바일을 통해 온·습도, 기상상황을 등을 모니터링 하고 원격으로 관수, 병해충 관리 등이 가능한 과수원을 목표로 한다.

구분	세부내역
환경 센터	온도, 습도, 토양수분(토경), 양액측정센서, 수분센서, 풍향/풍속, 강우, 일사량 등
영상장비	CCTV, 웹카메라, DVR 등
시설별 제어 및 통합제어 장비	에너지 절감시설, 관수모터제어, 양액기 제어 등
최적 생육환경 정보관리시스템	실시간 생장환경 모니터링 및 시설물 제어 환경 및 생육정보 DB 분석시스템

[표 13] 스마트 과수원 주요 구성 요소

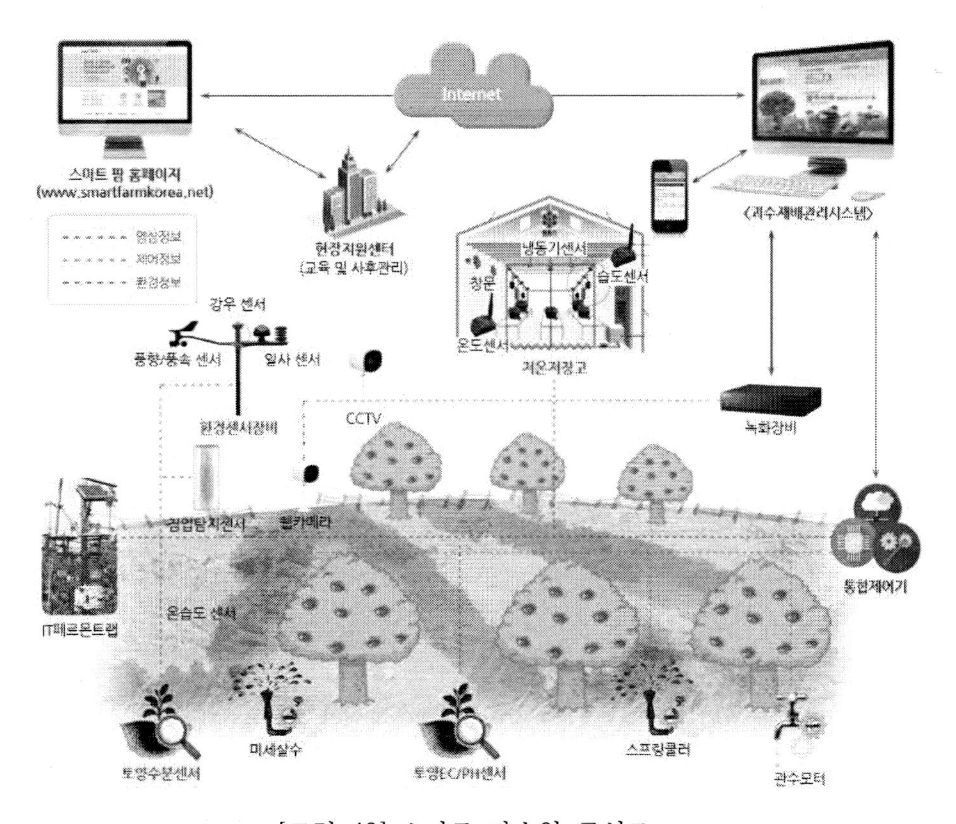

[그림 40] 스마트 과수원 구성도

3) 축산분야

축산분야에서 스마트 팜은 PC 또는 모바일을 통해 온·습도 등 축사 환경을 모니터링하고 사료 및 물 공급시기와 양을 원격자동으로 제어할 수 있는 농장을 목표로 한다.

구분		세부내역
돈사 환경관리	내부 환경 관리장비	온도, 습도, CO2조도, 암모니아, 이산화탄소, 누전 등
	외부환경 관리장비	온도, 습도, 풍향, 강우, 일사, 풍속 등
제어장비 영상장비	임신사	발정체크기, 모돈급이기, 사료빈, 음수관리기 등
	분만사	보온등, 모돈 급이기, 사료빈, 음수관리기 등
	자돈사	보온등, 사료믹스기, 사료빈, 음수관리기 등
	비육사	돈선별기, 사료믹스기, 사료빈, 음수관리기 등
영상장비		CCTV(웹카메라), DVR(녹화장비) 등
생산경영관리시스템		PC, 모니터 등

[표 14] 스마트 축사 주요 구성요소

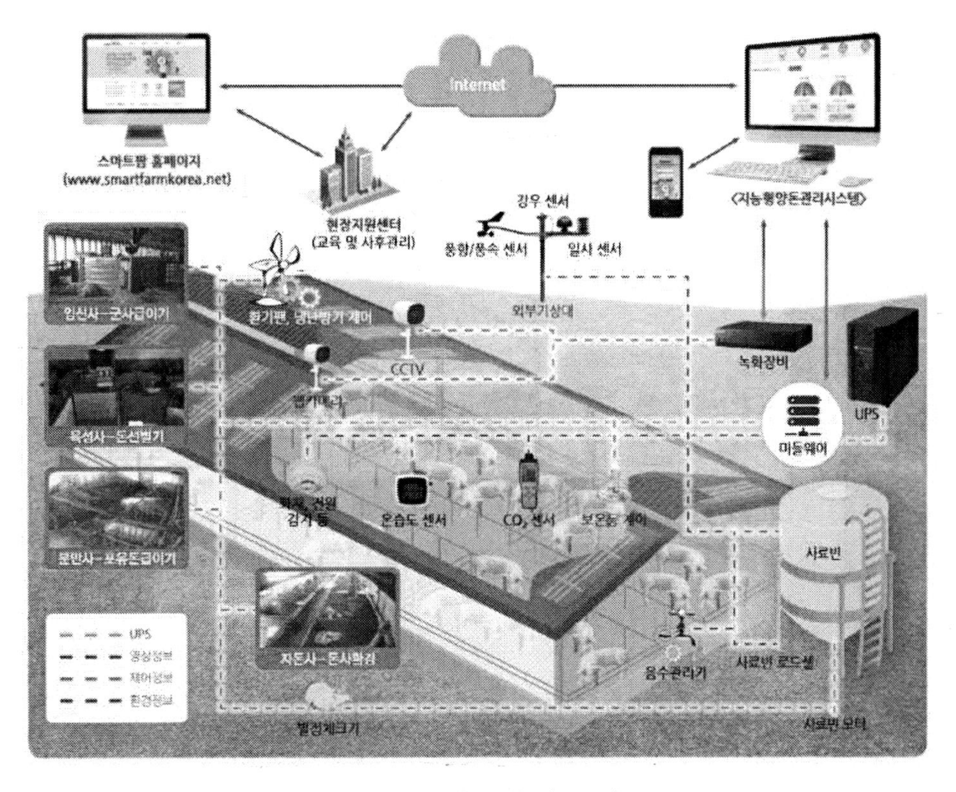

[그림 41] 스마트 축사 구성도

4. 스마트팜 생산 부문별 개념과 필요성

1) 스마트 원예

원예 산업에서 스마트 농업이란 농산물의 생산 과정에 ICT기술을 접목시켜 생산성과 부가가치를 향상시키는 작업이다. 가장 대표적으로 스마트 온실을 예를 들을 수 있는데, 이는 온실 내의 자동제어나, 원격감지, 원격제어, 생산에 필요한 농작업의 기계화 등을 통해 원예 산업에서의 스마트 농업의 유형으로 들 수 있다.

스마트 온실은 유리온실의 온도와 습도, CO2 등을 PC나 모바일을 이용하여 모니터링하고 창문개폐, 영양분 공급 등을 원격 자동으로 제어한다. 이러한 기술들을 이용하여 궁극적으로는 작물의 최적 생장환경을 유지할 수 있으며 그 결과 생산성을 높여주게 된다. 또한, 이를 조절하기 위해 종사자가 직접 찾아가지 않고 신속한 대응을 할 수 있다. 이렇게 재배 시설의 환경을 원격으로 조절하면 농업인의 노동 부담을 완화시킬 수 있게 된다.

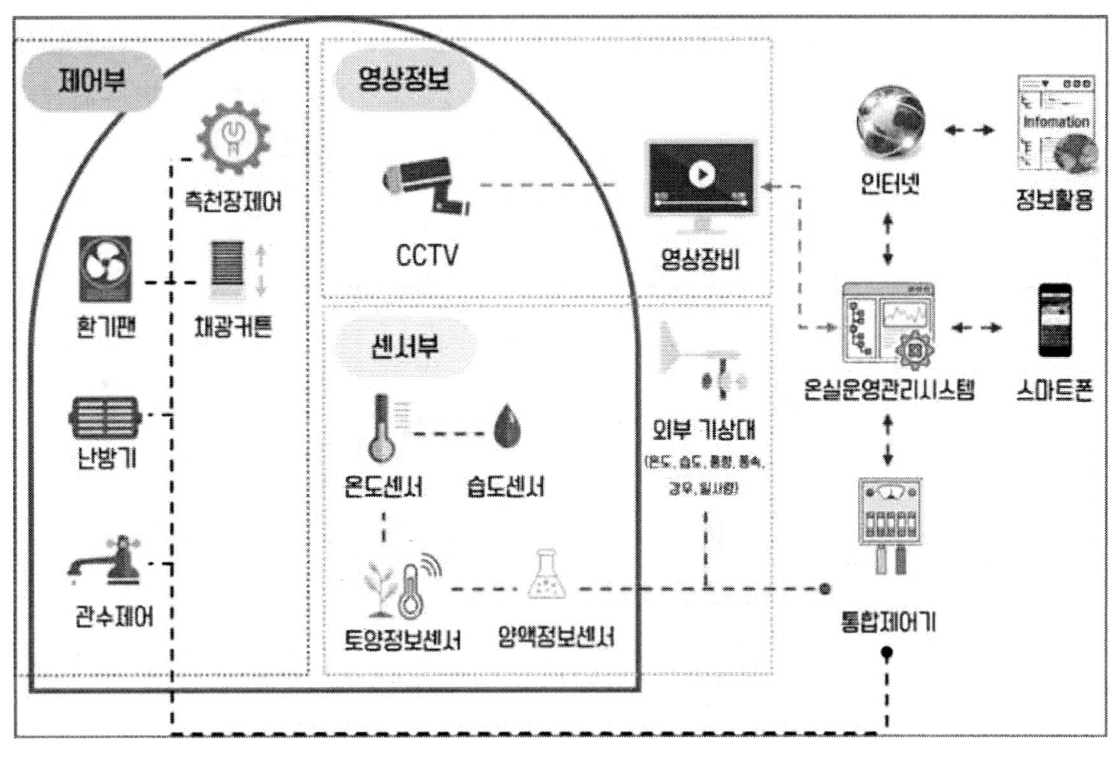

[그림 42] 스마트 원예 구성도

구분		세부내역
환경센서	내부	온도, 습도, CO2, 토양수분(토경), 양액측정센서(양액농도 EC, 산도 PH), 수분센서(배지)등
	외부	온도, 습도, 풍향/풍속, 강우, 일사량 등
영상장비		적외선카메라, DVR(녹화장비) 등
시설별 제어 및 통합제어 장비		환기, 난방, 에너지 절감시설, 차광 커튼, 유동팬, 온수/난방수 조절, 모터제어, 양액기 제어, LED 등
최적 생육환경 정보관리시스템		실시간 생장환경 모니터링 및 시설물 제어 환경 및 생육정보 DB 분석 시스템 등

[표 15] 스마트원예 구성요소

2) 스마트 과수 · 축산

과수 농가의 스마트 팜 활용은 앞서 간략한 언급이 있었지만 관수와 관비 및 병해충의 예측·관찰 중심으로 활용되고 있으며, 배·사과 농가 등에서 활용되고 있다. 현대 국내 축산 중 스마트 축사에는 ICT 기술이 부분적으로 적용되어 사료급여 시설 자동화, 환경모니터링 등의 특정 분야에 집중되어 있다.

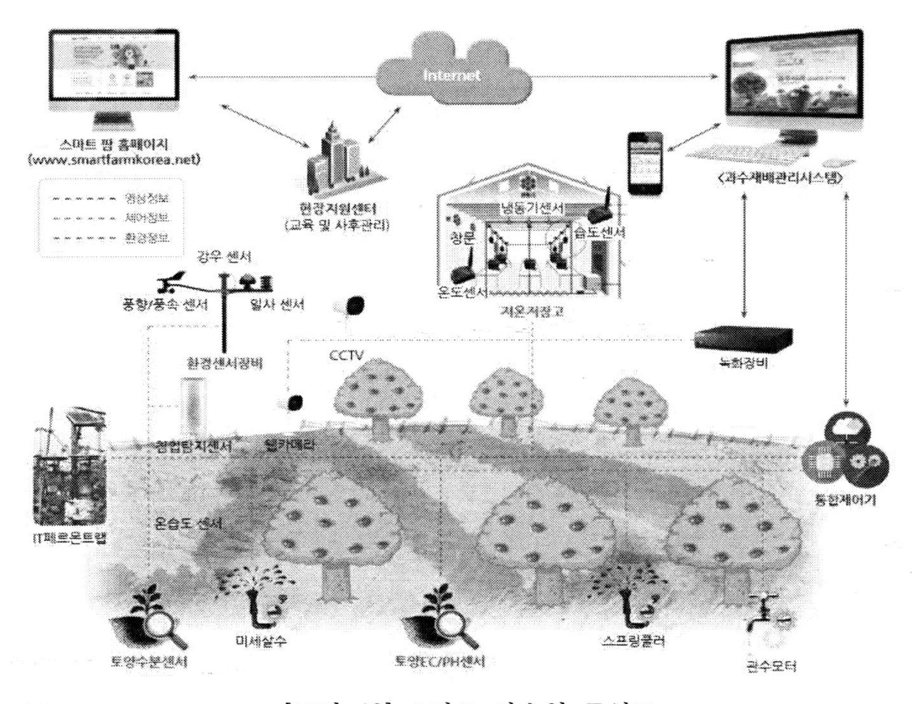

[그림 43] 스마트 과수원 구성도

구분	세부내역
환경 센터	온도, 습도, 토양수분(토경), 양액측정센서(양액농도 EC, 산도 PH), 수분센서(배지), 풍향/풍속, 감우, 일사량 등
영상장비	CCTV, 웹카메라, DVR 등
시설별 제어 및 통합제어 장비	에너지 절감시설, 관수모터제어, 양액기 제어 등
최적 생육환경 정보관리 시스템	실시간 생장환경 모니터링 및 시설물 제어 환경 및 생육정보 DB분석 시스템

[표 16] 스마트 과수원 주요 구성요소

축종별로 보면 양돈/양계의 축사의 경우 기계화, 자동화 및 규모화가 빠르게 진행되고 있어 ICT 기반 기술이 상당부분 적용되고 있다. 이에 반해 낙농/한우 부문은 아직 발달하지 못하고 있다.

시설원예와 같은 농업분야에 비하면 축산 분야는 아직 도입단계이지만 가축의 하나하나의 정보를 수집 분석하여 다양한 정보를 보급하고 대체 한다면 더 빠르고 정확한 성과가 나올 것으로 기대된다. 앞으로 빅데이터를 이용하는 개체들의 생육에 최적의 환경을 관리해주는 소프트웨어가 보급 될 예정이며, 이는 보다 높은 수준의 생산성과 효과를 가지게 될 것으로 예상 된다.

구분		세부내역
환경센서	내부	온·습도, 암모니아, 음수측정 등
	외부	온·습도, 풍향·속 등
사료단계별급이기		모돈자동급이기, 포유돈 급이기, 자돈 급이기 등
제어관리시스템		급이장치, 돈선별기, 사료빈관리기, 음수관리기 등
정보관리장비		카메라, 녹화장비, 네트워크, 모돈발정체크기 등

[표 17] 스마트축사 구성요소

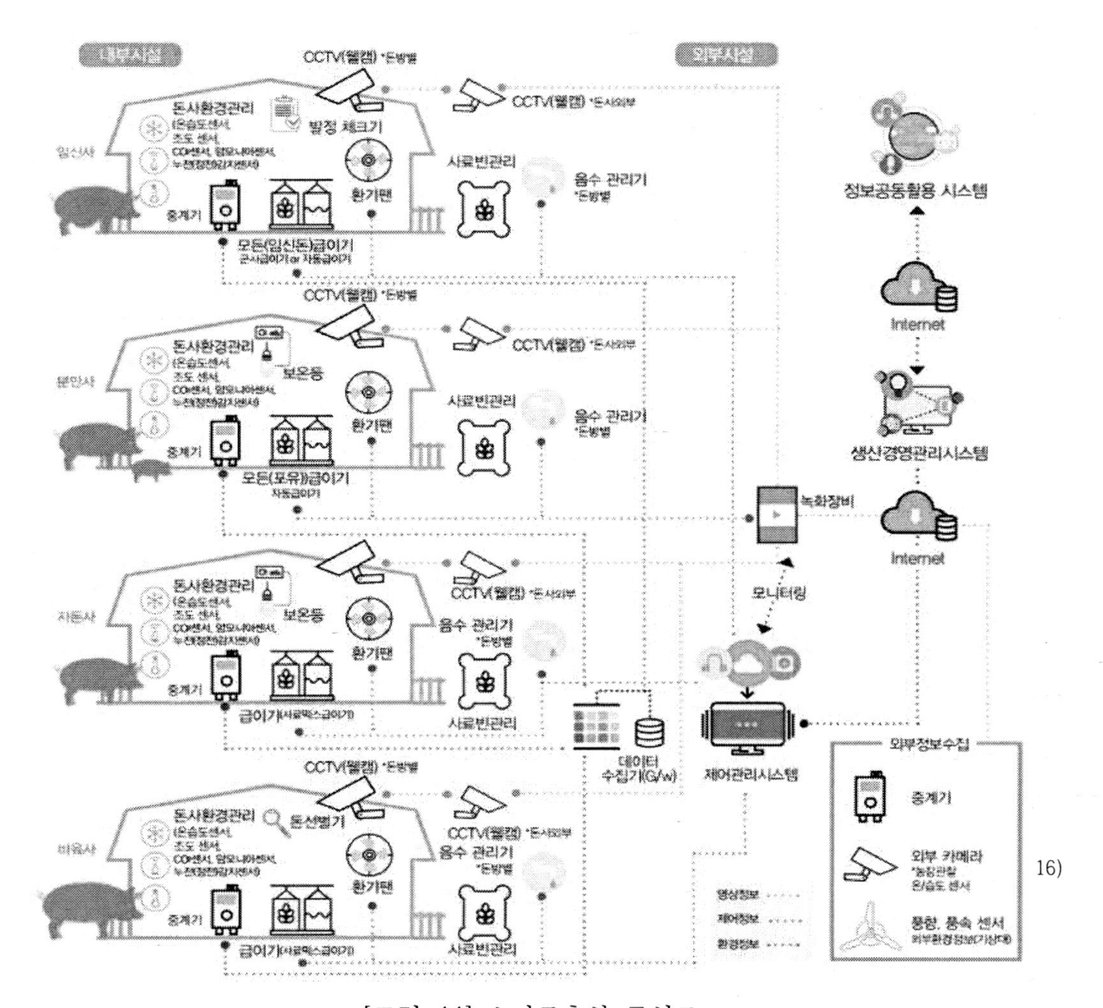

16)

[그림 44] 스마트축산 구성도

축산분야에서의 스마트팜은 ICT 융합 축산생산·경영시스템으로 원예 등 다른 분야들과 달리 각각의 '개체관리'가 가능하다는 장점이 있다. 축산 부문은 양돈과 양계, 오리를 중심으로 진행되고 있으며, 규모 또한 빠르게 진행되고 있다.

스마트 축사는 IT를 기반으로 생산기술이 발달한 품목이라 할 수 있으며, 살아있는 동물을 사육, 도축한 후, 유통 소비에 걸치기 때문에 위생수준제고 등 식품안전에 매우 중요한 품목이라 할 수 있다.

이러한 ICT를 융복합한 사례에는 동물의 행동을 제어하는 로봇 기술, 특정부위에 약물을 전달하여 항생제와 영양조절을 수행하는 기능, 가축들의 개량을 위한 자료, 즉 데이터를 수집하는 시스템부터 분석, 보급 하는 시스템까지 포괄적인 기술이 존재한다.

농가의 축사에 여러 종류의 센스를 부착하여 가축의 상태에 대한 정보를 수집할 수도 있는데, 한우 인공수정 기록관리 시스템 역시 정액이나 수정일자, 정보를 실시간으로 전송하고 기록하는 시스템이 이러한 예라고 할 수 있다.

16) 농림축산부 2017

3) 스마트 유통

최근 시설 원예나 스마트 축산과 같은 부문에서 정보통신기술을 접목하여 유통구조를 개선하기 위하여 많은 시도들이 이루어지고 있다. 이러한 유통 부문의 혁신 또한 스마트 농업에 확대 해석 할 수 있으므로, 스마트 유통에 대하여 살펴보도록 하자.

스마트 팜 선도 농가의 50% 정도는 선별 및 계산을 공동으로 하고 있는것으로 조사되었고, 이 중 시설원예 분야의 공동계산비중이 크고 과수 분야는 미흡한 수준으로 나타났다. 또한 스마트 팜 농가들의 대부분이 생산에 따른 납품을 하는 거래처가 고정적이며, 이는 재배한 품목에 납품에 대한 걱정과 시간을 투자하기보다 생산품의 품질 확보를 하는데 더욱 정진 할 수 있다는 점을 포함하고 있다.

스마트 유통의 구체적인 예시로는 농산물 생산 후 바코드나 QR코드와 같은 광학 인식기술을 접목하여 농산물의 생산과정과 유통과정에 꼬리표와 같은 존재로 전자상거래 등을 하는 사례를 들 수 있다.

농산물은 중량이나 부피에 비해 단가가 낮아 효율성이 검증된 시스템도 오차율이 클 수 있어 유통 중 가치가 낮아지는 경우가 있는데, 스마트 유통을 활용한다면 이를 표준화하여 체계적인 유통이 가능할 것으로 전망된다.

향후 좀 더 체계적이고 스마트한 유통시스템을 농산물이나 축산물 모든 유통부문에 도입함으로써 농산물 유통구조를 개선할 수 있을 것으로 예상된다. 현재 스마트 유통은 재고비용 절감, 노동력 절감 유통과정 간소화 등에 초점을 맞추어 이루어지고 있다. 또한, 모바일 기기 기반의 사회네트워크 서비스로 생산물의 마케팅에 접목시켜 새로운 마케팅의 혁신을 추구할 수 있는데, SNS를 이용하여 다각의 네트워크를 구축하고 발 빠르게 소통하여 유통의 간소화로 소비자-생산자 직거래, 공동구매 등의 다양한 소비형태가 가능할 것으로 전망된다.

5. 스마트팜 국내·외 정책 동향

1) 해외 정책 동향

유엔식량농업기구나 세계은행 등 국제기구 및 국제농업연구자문그룹(CGIAR) 등의 국제연구기관들은 지구차원의 식량안보 및 농업문제, 그리고 가난한 국가의 국민이나 농민의 생계문제를 해결하고자 농업연구 및 농업개발에 많은 투자를 해오고 있다. 각국 나라에서도 농업기술개발을 위한 연구에 많은 투자를 하고 있는데, 본 장에서는 각 지역 실정에 맞는 기술을 개발하고 이를 바탕으로 영농현장에 적용하기 위한 정책적, 제도적, 사회경제적 여건을 조성하기 위한 정책들을 살펴보도록 하자.

(1) 미국

미국 정부는 농업의 성장이 식량 안보에 직접적인 해결책이 된다는 인식하에 1990년대부터 지속 가능한 농업 및 환경촉진을 주요 전략으로 설정하였다. 미국의 국가과학기술위원회(NSTC) 주도로 ICT 융합의 기반이 되는 원천기술에 2002년 18억 달러에서 2012년 37억 달러까지 투자를 확대해왔다. 2000년에 들어 GPS를 이용한 무인주행 농작업과 조간 농자재 변량(row-by-row) 살포기술이 이용되고 있으며, 실시간 센서개발과 정밀농업과정에서 취득한 농산물 생산이력의 이용을 추진하고 있다. 2014년엔 국립 기상 서비스(National Weather Service)와 농무부(USDA)가 오픈 데이터 정책 추진을 통해 각종 농업 서비스 개발을 촉진해오고 있다. 미국의 'The Climate Cooperation'은 250만개의 기상데이터와 과거 60년간의 수확량 및 1,500억 곳의 토양데이터를 바탕으로 지역, 작물별 수확 피해발생 확률을 계산하고 이를 토대로 농가를 위한 맞춤 보험 프로그램을 제공한다.

미국 농장의 최첨단화가 가능하게 된 이유는 기술 발전 덕분이며, 특히 이러한 기술들은 '농업의 실시간 관리', '관리의 효율성 향상'에 중점을 두고 개발되었다. 이 중 기계로 농약을 살포해야 하는 대단위 농지 등에서 농약을 얼마나 뿌리면 되는지 조절할 수 있는 기술인 '스마트 스프레이 시스템', 대형부터 소형에 이르기까지 작황 상태를 진단하고 농업 공정의 자동화를 돕는 '로봇'과 '드론', 농가의 작황과 농장 기계 상태를 실시간 관리할 수 있는 '센서' 등의 기술이 현재 상용화되고있다. 이런 최첨단 농업 기술은 미국 정부의 적극적인 투자를 바탕으로 향후 더욱 발전할 것으로 전망된다.

(2) EU

유럽연합(EU)은 2004년 '지식사회 건설을 위한 융합기술 발전전략'을 수립하여 2013년까지 진행되는 '7th Framework Programme 2007~2013'을 통해 융합기술을 구체화하고 농업 분야를 이에 포함시켰다. 2014년부터는 이를 'Horizon 2020'으로 명칭을 바꾸고 농업을 주요 현안 중 하나로 포함시켜 사회적 현안 해결을 위한 지속가능한 농업의 역할을 강조해오고 있다. 유럽연합의 농업연구상임위원회(SCAR)에서는 농업 및 ICT 융합 R&D 정책 추진을 맡고 있다. 유럽연합의 농업/ICT 융합 R&D 정책은 농식품 분야에 대한 투자확대로 유럽의 지식기반 바이오 경제(Knowledge based Bio-economy)를 달성하는 것을 목표로 추진되고 있다.

한편 유럽연합은 주요 농업 프로젝트 중 하나로 'ICT-Agri 프로젝트'를 추진하고 있는데, 이는 유럽연합 집행기관(European Commission)의 기금(ERA-NET scheme)으로 운영되는 EU 차원의 농업분야 ICT 국제공동 연구 프로젝트이다. 본 프로젝트는 정밀농업분야에 대한 EU 차원의 연구역량 및 회원국 간의 연구협력네트워크 강화를 주요 목표로 두고 있다. 또한 EU 공통의 연구의제 설정을 통해 농업분야 ICT 및 로봇기술 연구개발의 효과성과 효율성 제고를 위해 노력 중이다. 본 프로젝트를 통해 농업분야의 지속가능성을 높이고 혁신적인 기술개발을 촉진하기 위해 유럽연합은 민관협력을 장려하여 민간기업과 사용자(농부)들의 참여를 도모하고 있다

(3) 일본

일본 정부는 2004년 '신산업 창조전략'을 통해 융합 신산업 창조전략을 추진하고, 2011년 i-Japan 전략을 수립하면서 농업을 ICT 융합 기반의 신산업으로 육성하기 위한 6대 중점 분야 가운데 하나로 선정하였다. 일본의 농업/ICT 융합 기술은 기계화, 편리성 도모, 수익향상, 건강증대, 안정성 확보 등의 측면에서 광범위하게 적용되고 있다. 2010년 농업의 성장산업화 전략의 하나로 '농업 6차 산업화'를 도입, 이를 제도적으로 뒷받침하기 위해 2011년 3월, 6차 산업 관련법을 제정하여 지역 활성화로 이어지도록 각종 지원을 이어나가고 있다. 2014년 농림수산성을 주축으로 '농업 정보의 생선, 유통 촉진 전략(2014.6)'을 수립하고 농업 관련 데이터의 수집 및 분석 활성화를 모색해오고 있다. 최근에는 농업/ICT 융복합 기술인 Smartagri 시스템, 영농정보관리 시스템(FARMS)을 개발하여 농업의 기계화, 자동화를 구현해오고 있다.

(4) 중국

중국정부는 인터넷과 제조업 융합을 통한 중국 산업의 업그레이드 계획으로, 10대 산업 중 농업 기계설비 분야를 포함시켰다. 인터넷 플랫폼 및 정보기술을 활용한 인터넷과 전 산업의 융합을 통해 새로운 경제발전 생태계를 창조하는 전략으로, 중국 전통 제조업 유통업 등의 스마트화가 가속화될 전망이다. 중국 정부의 1호 문건에서 2004년 이후 13년째 '삼농(三農)' 즉 농민, 농촌, 농업이 중요시되어오고 있어 중국 정부의 최대 현안이 삼농임을 알 수 있다. 특히 2016년 '1호 문건' 에서는 '지속적으로 농업 현대화의 기반 구축, 농업 질량 효능 및 경쟁력 제고'의 주제를 1항으로 언급한 바 있다. 또한, 2016년 10월 20일, 국무원이 <전국 농업 현대화 계획(2016~2020년))을 발표해 농업 현대화의 일환으로 스마트농업을 언급하기도 했다. 정부는 기술 장비와 정보화 수준을 제고하기 위해 인터넷플러스[17]의 현대농업 적용 실시를 강화하고, 사물인터넷, 지능형 설비의 보급 응용을 확대하며, 농촌가구마다 정보이용을 보급, 농민의 모바일 활용을 제고해 2020년까지 농업 사물인터넷 등 정보기술 응용 비율을 17%까지 올리고, 농민 인터넷 보급률을 52%까지, 농촌가정에 정보도입을 80%로 올리는데 노력하고 있다. 또한 글로벌 농업 데이터 조사 분석시스템 구축, 주요 농산품의 수요공급 정보의 정기

17) 모든 전자 기기에 인터넷을 더한다는 뜻으로, 리커창(李克强) 중국 총리가 2015년 3월 발표한 정부의 액션 플랜에서 처음 언급하였다. 모바일 인터넷, 빅데이터, 사물인터넷(IoT), 클라우드 컴퓨팅 등을 제조업과 융합시켜 전자 상거래, 인터넷 금융 등의 발전을 이루고 중국 인터넷 기업이 글로벌 시장에서 입지를 다질 수 있도록 하기 위한 전략이다. [네이버 지식백과] 인터넷 플러스 (시사상식사전, 박문각)

발표 공개, 데이터 수집 감측 분석 발표 추진, 일체화된 국가데이터 클라우드 플랫폼 구축, 농업 동작감지센서 기초시설 건설 등도 추진하고 있다.

2) 국내 정책 동향

문재인 정부는 스마트팜을 위해 혁신거점 기반 스마트팜 확산 방안, 빅데이터·인공지능 기반 스마트농업 확산 종합대책을 발표했다. 먼저, 2018년 4월 16일에 발표된 스마트팜 확산 방안은 기존 스마트팜 보급 대상을 온실과 축사에서 노지채소와 수직형 농장까지 확대했다. 또한, 정책 대상 또한 기존 농업인에서 청년 농업인과 전후방 산업까지 확대했으며 이러한 확산의 거점을 스마트팜 혁신밸리로 정했다.

구분	현행	개선	
스마트팜 보급	온실	온실	◦ ('17) 4,010ha → ('22) 7,000
	축사	축사	◦ ('17) 790호 → ('22) 5,750
	-	기타	◦ 노지채소, 수직형 농장 등 도입
정책 대상	기존 농업인	기존 농업인	◦ 스마트팜 보급 + 규모화 · 집적화 • 대량·안정적 공급체계 토대로 국내외 시장개척
	-	청년 농업인	◦ 청년 창업보육 프로그램 신설 ◦ 청년 임대형 스마트팜 조성 ◦ 자금 · 농지 · 경영회생 지원체계 마련
	-	전후방 산업	◦ 스마트팜 실증단지 조성 • 농업-기업-연구기관 공동 R&D로 기술혁신, 신시장 창출
확산거점	-	스마트팜 혁신밸리	◦ 생산 · 유통, 인력양성, 기술혁신 및 전후방산업 동반성장의 거점

'22년까지 스마트팜 보급목표

분류		'17년	'22년	목표 설정 내용
시설원예	첨단수출형	600ha	7,000ha	파프리카, 토마토 등 첨단온실에 기반 한 수출품목 시설면적 전체 100%
	연동복합형	2,400ha		오이, 토마토 등 현대화가 진전된 연동형 온실(7,853ha)의 30% 수준
	단동간편형	1,000ha		참외, 딸기 등 주산지, 단동형 온실(10,719ha)의 10% 수준
축산	양돈	330호	5,750호	주요 축종별 전업농의 10% 수준
	낙농	300호		
	양계	100호		

[그림 45] 스마트팜 확산방안

스마트농업 확산 종합대책은 스마트농업의 확산 및 고도화를 통한 농업혁신의 가속화를 비전으로 농업 빅데이터·인공지능 인프라 구축, 스마트농업 거점 육성, 기술·인력 및 장비 등 지원 강화, 한국형 스마트팜 수출 활성화를 정책 방향으로 설정했다.

정책 방향	핵 심 과 제
농업 빅데이터·인공지능 인프라 구축	• 표준화된 데이터 수집 확대 및 관리 강화 • 클라우드 기반 통합 플랫폼 등 데이터 개방·공유 촉진 • 바우처, 인공지능 경진대회 등 데이터 활용 촉진
스마트농업 거점 육성	• 혁신밸리를 보육·실증·데이터 거점으로 육성 • 혁신밸리를 중심으로 스마트농업 확산 • 노지 스마트농업 거점 구축
기술·인력 및 장비 등 지원 강화	• R&D를 통한 기술경쟁력 확보 • 「농업 + 빅데이터 · 인공지능」 전문인력 양성 • 기업 육성 및 투자 촉진 • 기술·장비, 인공지능 서비스 등 보급 • 전·후방 산업 연계
한국형 스마트팜 수출 활성화	• 스마트팜 수출거점 조성 등 패키지 수출 지원 • 기술협력, ODA 등 스마트팜 국제 협력 강화
추진체계	• 디지털 전환을 촉진하는 스마트농업 육성 법률 제정·지원 • 5년 주기로 「스마트농업 육성계획」 수립·시행 • 중앙정부, 지자체, 학계, 산업계 등을 포괄하는 거버넌스 구성 • 스마트농업 진흥 전담기관에서 스마트농업 육성 총괄 수행

[그림 46] 스마트농업 확산 종합대책

윤석열 정부는 국정과제로 "살고싶은 농산어촌을 만들겠습니다"를 선정하고 이를 위해 농산촌 지원강화 및 성장환경 조성, 농업의 미래 성장산업화, 식량주권 확보와 농가 경영안정 강화, 풍요로운 어촌, 활기찬 해양을 세부과제로 선정했다.

특히, 농업의 미래 성장산업화를 위해, 농업 디지털 혁신, 농산업 혁신생태계 구축, 방역체계 고도화를 선정했다.

① 농업 디지털 혁신

농업 디지털 혁신을 위해 스마트농업 확산을 위한 임대형 스마트팜을 조성(15개소, ~'27)하고 스마트팜 빅데이터 플랫폼을 구축하여 데이터를 수집하고 이의 활용을 촉진한다. 또한 2023년부터는 스마트 APC(산지유통센터) 확대, 온라인 거래소 운영 및 도매시장 거래정보 디지털화 등 산지에서 소비지까지 농산물 유통을 디지털 전환한다.

② 농산업 혁신생태계

농산업 혁신생태계를 위해 연구 데이터 개방·공유 플랫폼을 2024년까지 구축하고, 신성장 분야 R&D 확대 및 농식품 벤처창업 지원을 위한 농식품 펀드를 확대할 전망이다.

③ 방역체계 고도화

가축전염병 위험도 평가모델을 2024년까지 개발하고 이를 적용하며, 빅데이터 활용 가축방역 시스템을 2027년까지 고도화한다.

6. 스마트팜 시장

1) 세계 스마트팜 시장

지구온난화에 따른 식량 부족 문제 해결을 위하여, 생산성을 향상시키도록 농업에 ICT 및 BT를 융복합 시킨 스마트팜이 주목받고 있다. 유럽, 미국, 일본 등 농업 선진국에서는 농업에 ICT 기술을 접목시켜 작물을 정밀하게 생산하는 것이 가능해지고 있다.

글로벌 스마트 농업 시장은 2019년 42억 7,372만 달러에서 연평균 성장률 8.57%로 증가하여, 2024년에는 64억 4,728만 달러에 이를 것으로 전망이다.

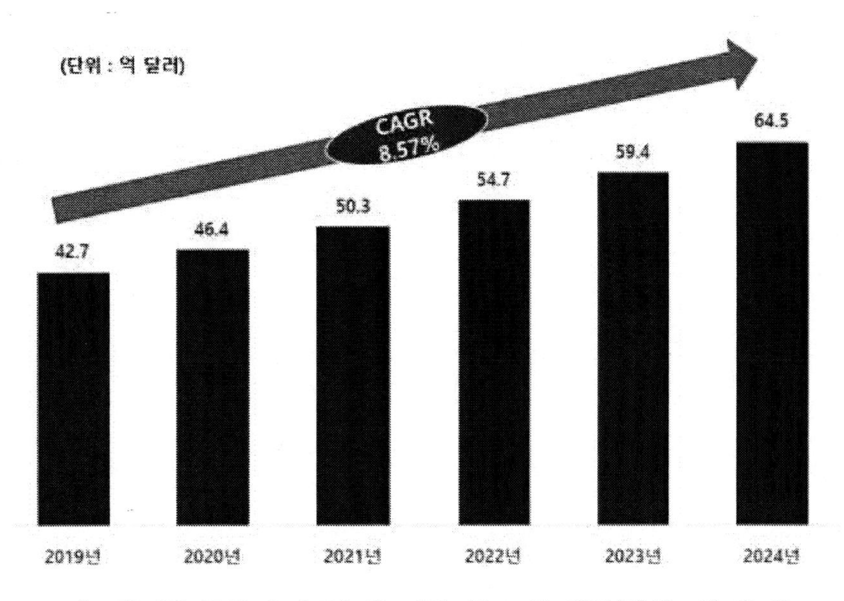

[그림 47] 국외 스마트농업 시장 규모 및 전망(단위: 억 달러)

세계 스마트 농업 시장은 제공에 따라 하드웨어, 소프트웨어, 서비스로 분류할 수 있다. 하드웨어는 2020년 98억 3,200만 달러에서 연평균 9.0%로 증가하여, 2025년에는 151억 5,400만 달러에 이를 것으로 전망되며, 소프트웨어는 2020년 26억 3,000만 달러에서 연평균 1.9%로 증가하여, 2025년에는 46억 1,200만 달러에 이를 것으로 전망된다. 마지막으로 서비스는 2020년 12억 8,900만 달러에서 연평균 1.2%로 증가하여, 2025년에는 21억 9,600만 달러에 이를 것으로 전망된다.

일본의 경우 일본 정부가 직접 나서서 민관합동 및 연구기관의 제휴로 스마트 농업의 개발 및 실용화를 적극적으로 추진하고 있는 가운데, 이를 미래 비즈니스 기회로 여기고, 다양한 타 업종의 기업 진출이 증가함으로써 기술개발과 보급이 급속도로 이루어지고 있다. 이에 따라 매년 관련 시장규모가 성장을 거듭하고 있으며 2023년에는 약 333억 엔 규모로 확대될 전망이다. 그동안 일본 기업의 농업진출은 농작물을 안정적으로 조달하고자 하는 식품업체나 공공사업의 감소에 따른 건설업체들이 경영 다각화의 방책으로 이뤄진 경우가 많았으나 최근에는 소매업, 제조업, IT, 금융, 운수업 등 다양한 업계가 ICT, 로봇 기술을 농업에 응용하는 형태로 발전하고 있다.

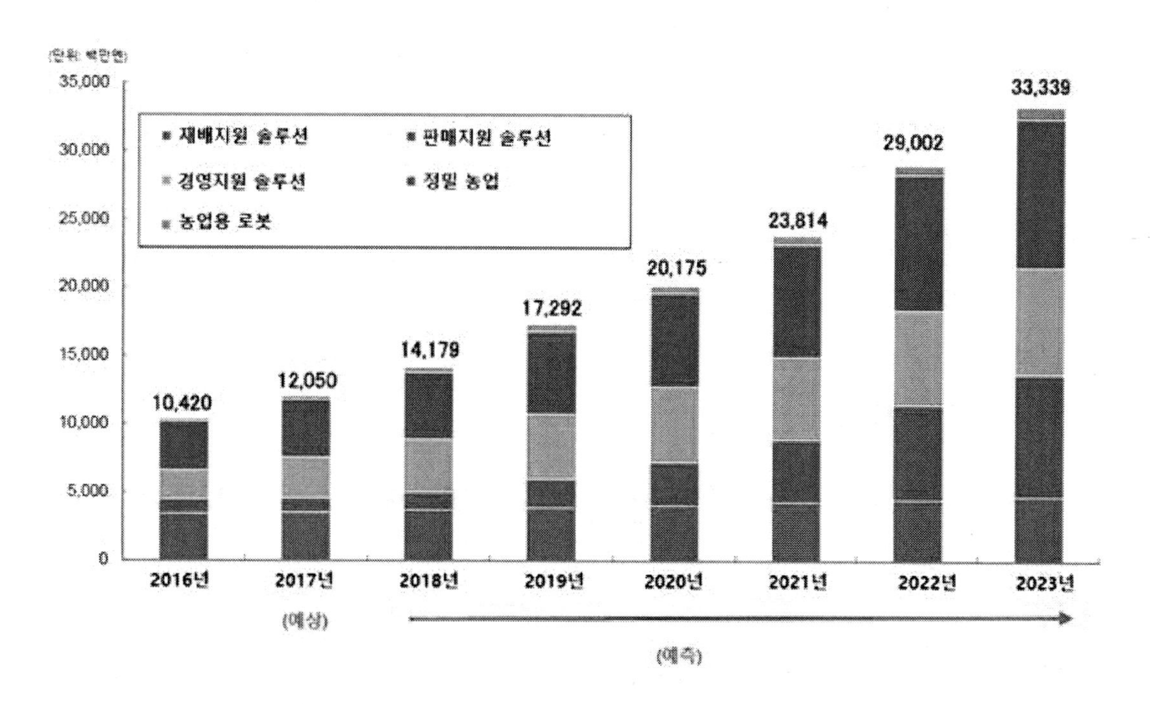

[그림 48] 일본 스마트농업 시장규모 추이 및 예상

일본 스마트농업의 주요 기술은 아래와 같다.

기술명		정의
재배지원 솔루션	농업 클라우드	농업에 관련된 데이터 수집해 인터넷상에서 관리해 생산성을 향상시키는 시스템
	복합환경 제어장치	대기 온도, 하우스 내 온도, 습도, 일사량, CO2 농도 등을 측정해 각각 최적의 상태로 조정하기 위해 냉방장치 및 보온커튼, 환기 및 차광을 자동 제어하는 것
	축산용 생산지원 솔루션	축산업의 생산비용 절감을 위해 정보통신기술(ICT)를 활용한 계획적 가축번식으로 경영 효율화를 실현하는 솔루션
판매지원 솔루션		① 생산자 및 JA(Japan Agricultural Cooperatives)와 식품 관련 사업자를 연결해 농작물을 조달하는 식품 관련 사업자의 4정(定)[정량(定量), 정시기(定時期), 정품질(定品質), 정가격(定価格)]을 실현하는 솔루션 ② 생산자와 JA의 직원을 연결, ICT를 이용해 관리업무를 경감하는 솔루션
경영지원 솔루션		① 회계소프트나 및 농업생산법인의 회계업무를 ICT로 지원하는 솔루션 ② 기상데이터나 과거의 기상정보를 토대로 수확시기 및 수확량을 예측해, 병해충 등의 피해를 사전에 파악할 수 있는 솔루션

표 18 일본의 스마트농업 주요 기술

기술명		정의
정밀농업	GPS 가이던스 시스템	GPS기능에 의해 트랙터의 위치를 측정해 주행경로를 표시하는 장치
	자동조타 장치	GPS가이던스시스템에 의해 표시된 주행경로에 따라 트랙터를 자동으로 조종하는 장치(무인주행은 아님)
	차량형 로봇 시스템	GPS수신기, 로봇컨트롤러, 센서 등을 트랙터, 이앙기, 콤바인 등의 농기구에 설치해 여러 대의 농기구에 의한 협조작업 및 농기구의 완전무인운전을 실현하는 시스템
농업용 로봇		설비형 로봇(접목 로봇 등), 머니퓰레이터형 로봇(수확 로봇 등), 작업 어시스트형 로봇(파워어시스트슈트 등)

[표 19] 일본의 스마트농업 주요 기술

2) 국내 스마트팜 시장

국내 스마트 농업 시장은 2020년 2억 3,900만 달러에서 연평균 성장률 15.5%로 증가하여, 2025년에는 4억 9,100만 달러에 이를 것으로 전망된다.

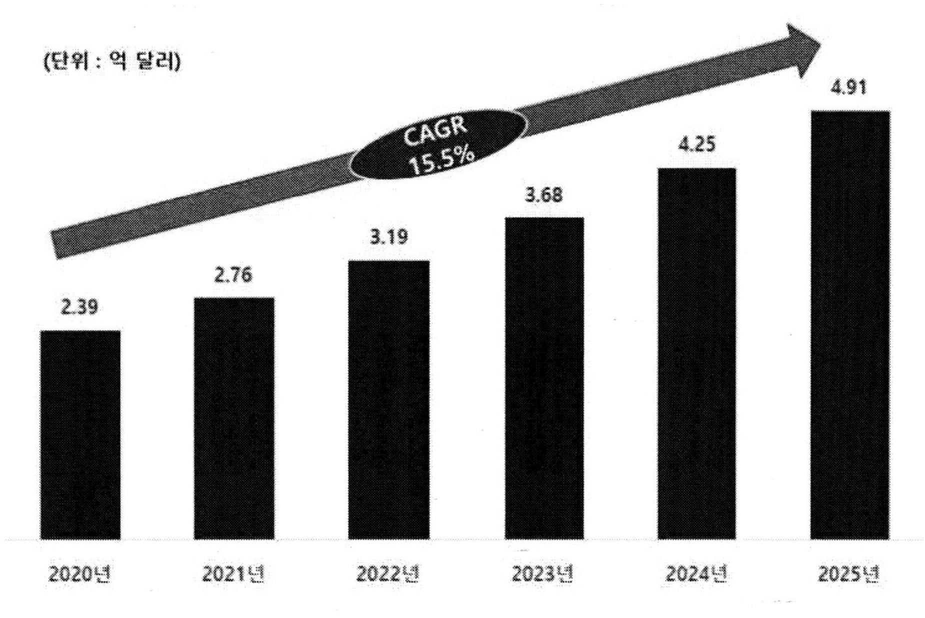

[그림 49] 국내 스마트농업 시장 규모 및 전망 (단위: 억 달러)

국내 스마트팜 보급면적은 시설원예가 5,017ha, 축산농가는 2,150호로 2014년 시설원예 면적 405ha, 축산농가 23호 대비 급격히 증가했다. 스마트팜 보급이 진전됨과 동시에 파프리카, 토마토, 딸기는 3대 온실작물로 대표되고 있으며, 생산성이 향상되어 공급이 상당 수준 늘어남에 따라 현재는 육성 작물의 다양화가 요구되는 시점이다. 축산 분야는 2015년부터 지난 4

년간 스마트팜 관련 홍보 및 정부 지원 성과에 부응해 대상 축종 및 도입 농가가 급속히 확대되고 있다.

스마트팜 관련 기술수준은 1세대, 2세대, 3세대로 구분할 수 있다. 1세대는 센서를 통한 환경변화 모니터링과 편리성 증진, 기능제어 등 제어시스템으로 구성된다. 한국은 1.5세대로서 일본의 2세대를 추격 중이다. 2세대 기술은 스마트팜 최적화 단계이다. 일본은 현재 2세대로 미국을 추격하고 있는 단계이다. 2세대는 생육환경의 최적화 알고리즘 적용, 생산성 향상, 농작물의 질병예방 및 생육진단 서비스를 제공하는 단계이다. 3세대는 네덜란드로 가장 기술수준이 우위에 있다. 미국이 네덜란드를 추격하고 있으며, 시설 내 온·습도 등을 자율적으로 조절할 수 있도록 기술을 개발하여 수출하는 단계이다.

4차 산업혁명 기술 개발 방향 설정을 위해 세계 주요국과 우리나라의 기술수준을 비교해 볼 필요 있다. 이에, 농림식품과학기술의 효율적 관리와 농식품 R&D 통합 조정의 틀인 '농림식품과학기술 분류체계(2017.12.29 고시)'를 바탕으로 4차 산업혁명과 농식품 분야에 관련된 기술을 농림식품 기계·시스템 (농업시설 ·환경기계· 시스템/농업 자동화·로봇화)과 농림식품 융복합(식물공장/유비쿼터스 정보화 기술) 기술로 나누어 살펴본 각각의 기술 수준은 다음과 같다.

분야		한국	미국	일본	영국	프랑스	네덜란드	독일	호주	중국
중분류	농업기계 시스템	76.6	100.0	97.3	86.7	87.0	95.2	94.9	84.3	64.6
	식품기계 시스템	68.0	98.7	98.5	87.2	86.0	84.4	100.0	75.2	63.6
	임업기계 시스템	78.0	100.0	99.4	78.7	76.2	75.6	92.1	76.5	75.0
	축산업기계 시스템	76.5	99.5	96.6	92.3	92.9	100.0	97.4	85.1	64.8
전체		75.0	100.0	98.2	86.8	86.4	90.8	96.5	81.4	66.2

[표 20] 농림식품기계/시스템 분야 기술 수준(기술선진국=100)

먼저 우리나라 농림식품 기계·시스템 분야의 기술수준은 최고 기술 보유국인 미국을 100.0으로 보았을 때 75.0으로 주요국 9개 국가(한국, 미국, 일본, 영국, 프랑스, 네덜란드, 독일, 호주, 중국) 중 8위이다. 중국은 66.2로 우리보다 낮은 수준이다.

농업기계·시스템은 최고 기술국(미국) 대비 76.6, 식품기계·시스템은 최고기술국(독일) 대비 68.0, 임업기계·시스템 최고기술국(미국) 대비 78.0, 축산업기계·시스템 최고기술국(네덜란드) 대비 76.5 수준으로 전체적으로 추격그룹에 속한다.

분야		한국	미국	일본	영국	프랑스	네덜란드	독일	호주	중국
중분류	농생명 신소재·시스템	74.6	100.0	93.3	85.6	84.3	83.4	89.1	79.1	70.8
	농생명 에너지 자원	68.2	97.4	92.9	85.4	84.7	94.1	100.0	83.3	66.3
	농생명 정보·전자	71.5	100.0	88.3	81.4	81.7	86.9	87.5	77.8	64.5
전체		73.0	100.0	92.5	85.0	84.2	86.7	91.2	80.0	68.8

[표 21] 농림식품 융복합 분야 기술수준(기술선진국=100)

3) 성공사례

(1) 시설 원예 분야 성공 사례

○ 농가 정보

농장명	블루팜	경영주	만 40세
경영유형	개인	생산 증가량	25% 증가
지역	경남 진주시	스마트 팜 운용연수	3년 이상
재배품목	시설딸기	스마트 팜 투자비용	6,000만원 (자부담 3,000만원)
시설면적	10,000m²	고용인원	1명
시설유형	비닐(단동형 6개동)	재배방법	-

○ 도입장비

구동기제어, 통합제어장치, 양액제어기, 모니터링

○ 주요 성과

생산단수 향상 : 25% 증가
노동력 감소 : 20% 감소

○ 성공요인

ICT시설 및 장비에 대한 이해도가 높으며, 이외에도 수직농장 등 다양한 다각화 방향을 고민하고 있음.

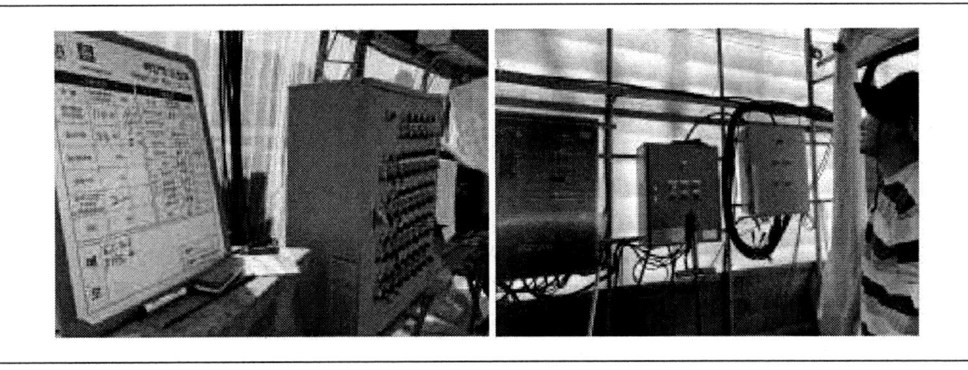

○ 농가 정보			
농장명	프리미엄 팜	경영주 나이	만 33세
경영유형	개인	생산량	-
지역	전북 남원시	스마트 팜 운용연수	4년 이상
재배품목	파프리카	스마트 팜 투자비용	6억 (자부담 5억 8천)
시설면적	10,000m^2	고용인원	가족 3명 운영
시설유형	14연동 1개동	재배방법	-

○ 도입장비

온실환경센서, 천창, 측창, 보온커튼, 유동팬, 통합제어장치, 양액제어장치, 모니터링

○ 주요 성과

도입 후 연간 180톤 생산
가족 3명이 1ha 시설 농가 가능 (노동력 5%감소)
파프리카의 모양과 품질이 균일하게 유지되어 인기가 높음

○ 전문가가 본 성공요인

스마트팜 구축을 위해 기 구축된 농가들을 연구하고 견학했으며 농식품인력개발원에서 실시하는 장기연수와 해외 연수를 통해 기술을 익힘

○ 농가 정보			
농장명	투베리농원	경영주 연령	52세
경영유형	개인	단위면적 당 생산량	4.1kg
지역	전남 장성군 진원면	스마트 팜 운용연수	3년 이상
재배품목	딸기, 블루베리	스마트 팜 투자비용	2억 8,000만원
시설면적	2,570m² / 10,630m²	고용인원	사무실 근로자 10명 현장 근로자 3명
시설유형	연동 3동 / 단동 15동	재배방법	고설 수경재배

○ 도입장비

통합제어장치(판넬, 디지털제어기), 에너지 절감시설

○ 주요 성과

생산량 향상 : 도입 전(3kg) → 도입 후(4.1kg)
전체 생산 중 출하 상품 비중 : 도입 전(83.8%) → 도입 후(99.9%)

○ 전문가가 본 성공요인

데이터의 중요성을 잘 알아 스마트팜 도입에 적극적임.
친화력이 좋아 귀농기술센터나 설비업체의 사람들과 친하게 지내며 필요한 도움을 잘 받을 수 있었음.

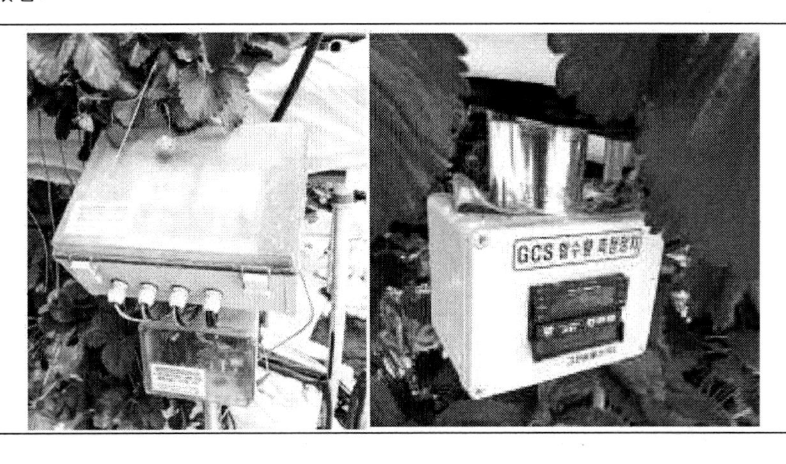

○ 농가 정보

농장명	신기수농장	경영주 연령	만 58세
경영유형	개인	단위면적 당 생산량	90kg
지역	전북 진안군	스마트 팜 운용연수	4년 이상
재배품목	토마토	스마트 팜 투자비용	18억 원 (자부담 9억)
시설면적	10,000m^2	고용인원	4명
시설유형	6연동 1개동	재배방법	-

○ 도입장비

온도제어시스템, 복합환경제어시스템, 관수, 양액설비, 모니터링 시스템, 원격제어시스템

○ 주요 성과

생산량 향상 : 도입 전(60kg) → 도입 후(90kg)
노동력 향상 : 도입 전(7명) → 도입 후(4명)

○ 전문가가 본 성공요인

IT에 대한 이해도가 높으며 주변 농가들과 함께 협력하여 수출 판로를 개척함.

○ 농가 정보

농장명	심스팜	경영주 연령	65세
경영유형	개인	단위면적 당 생산량	5kg
지역	강원 평창군 대관령면	스마트 팜 운용연수	1년 미만
재배품목	여름 딸기	스마트 팜 투자비용	1억 5천만원
시설면적	21,400m^2	고용인원	사무실 근로자 1명 현장 근로자 20명
시설유형	연동 14동/ 연동 10동/ 연동7동/ 연동 6동/ 연동 3동	재배방법	고설 수경재배

○ 도입장비

통합제어장치(판넬, 디지털제어기), 양액제어기, 에너지절감시설, 건조, 온풍기

○ 주요 성과

생산량 향상 : 도입 전(3kg) → 도입 후(5kg)
출하 상품량 : 도입 전(60톤) → 도입 후(100톤)

○ 전문가가 본 성공요인

고령의 선배 농업인 임에도 불구하고 엄청난 학구열과 발전을 갈구하는 억척스러운 모습. 지속적인 관리와 교육을 통해노력한다면, 여러 선후배 농업인들의 귀감이 될 것으로 보임.

○ 농가 정보

농장명	씨드림(주)	경영주 연령	60세
경영유형	농업회사법인	단위면적 당 생산량	-
지역	충남 부여군	스마트 팜 운용연수	2년 이상
재배품목	방울토마토, 멜론	스마트 팜 투자비용	1억 5천만원
시설면적	4,840m^2	고용인원	사무실 근로자 10명 현장 근로자 3명
시설유형	연동 12동	재배방법	수경재배

○ 도입장비

통합제어장치(판넬, 디지털제어기), 양액제어기, CCTV

○ 주요 성과

전체 생산 중 출하 상품 비중 : 도입 전(93.2%) → 도입 후(94%)

○ 전문가가 본 성공요인

농업 빅데이터가 농장에서 현실적인 역할을 할 수 있는 것에 주안점을 둔 씨드림의 운영 방식은 씨드림의 연구 결과가 곧 농장의 생산성 향상으로 이어지게 만듦.

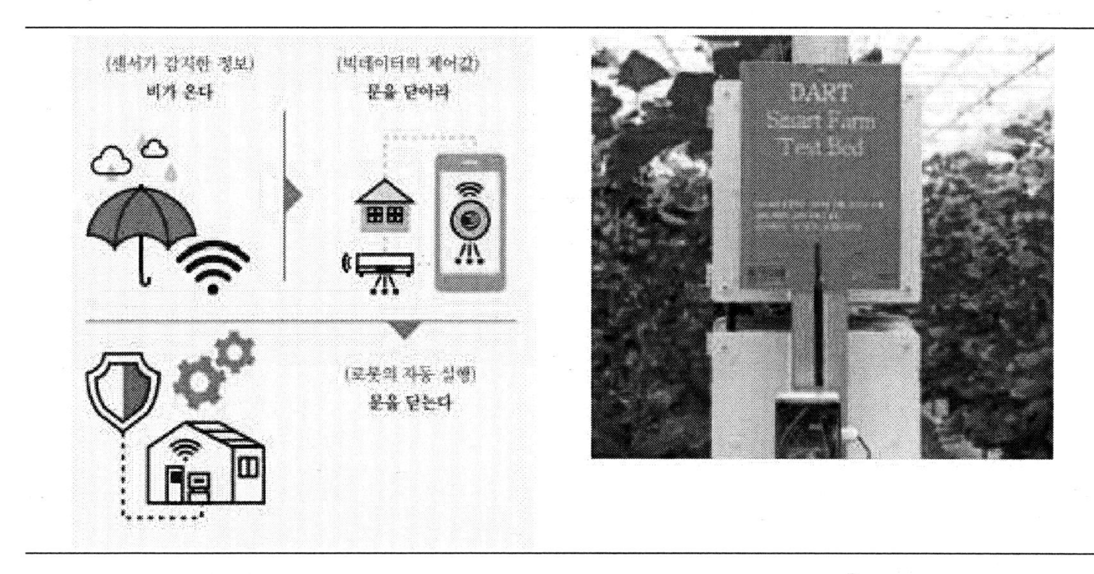

○ 농가 정보

농장명	윤스팜	경영주 연령	35세
경영유형	개인	단위면적 당 생산량	16kg
지역	경북 경주시 내남면	스마트 팜 운용연수	2년 이상
재배품목	토마토	스마트 팜 투자비용	4천만원
시설면적	2,440m^2	고용인원	현장 근로자 1명
시설유형	연동 3동	재배방법	수경재배

○ 도입장비

통합제어장치(판넬, 디지털제어기), 양액제어기, 에너지 절감시설

○ 주요 성과

생산량 향상 : 도입 전(10kg) → 도입 후(16kg)
전체 생산 중 출하 상품 비중 : 도입 전(88.3%) → 도입 후(94.7%)

○ 전문가가 본 성공요인

스마트 기기 사용에 익숙한 세대여서 그런지 이해도·활용도가 높고 농사에 대한 애착이 강함. 사회생활 초년병 시절의 힘겨움이 농사로 치유 받으면서 되레 약이 된 듯. 자신의 강한 의지에다 아버지의 경험, 스마트 팜의 기술이 3박자를 이루고 있음.

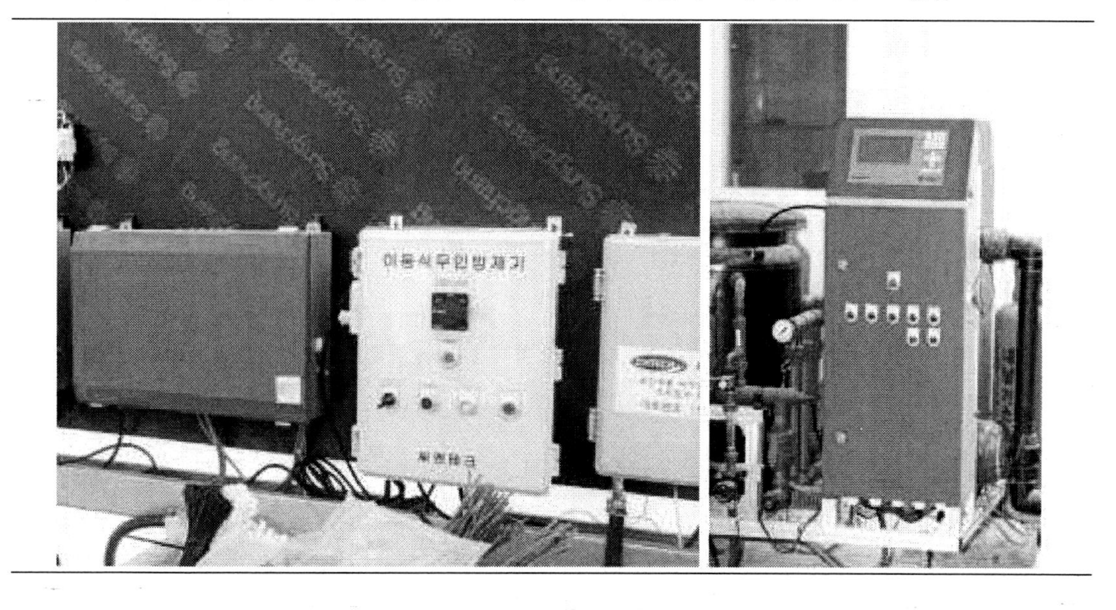

(2) 과수 분야 성공 사례

○ 농가 정보			
농장명	청정원	경영주 연령	61세
경영유형	개인/귀농	생산량	-
지역	전북 장수군 천천면	스마트 팜 운용연수	1년 이상
재배품목	사과	스마트 팜 투자비용	5천만원
시설면적	9,900m^2	고용인원	사무실 근로자 1명 현장 근로자 8명
시설유형	노지 재비	재배방법	노지 재배

○ 도입장비

통합제어장치, 토양수분센서, 외부환경센서

○ 주요 성과

전체 생산 중 출하 상품 비중 : 도입 전(84.2%) → 도입 후(92.1%)

○ 전문가가 본 성공요인

스마트 팜 활용에 있어 매우 적극적이고 능동적인 농장주.
그의 노력으로 농장의 규모와 특성을 고려한 간편하고 효율적인 농장운영이 이루어지고 있음.

○ 농가 정보			
농장명	에이스애플팜	**경영주 연령**	65세
경영유형	개인	**생산량**	-
지역	강원 평창군	**스마트 팜 운용연수**	2년 이상
재배품목	사과	**스마트 팜 투자비용**	3,100만원
시설면적	9,000m^2	**고용인원**	현장 근로자 2명
시설유형	노지 재배	**재배방법**	노지 재배

○ 도입장비

양액제어기, 미스트발생기, 토양측정기, 강우량측정기, 모니터링시스템, 기상센서

○ 주요 성과

생산량이 매년 20%이상 증가했으며, 낙과가 줄고 상품의 질이 일정하게 유지됨
2,700여 평의 농장을 2명이 운영 가능

○ 전문가가 본 성공요인

IT 지식에 밝았으며 봉평의 22개 농가가 함께 작목반 활동을 하며 판로를 개척함

(3) 축산 분야 성공 사례

○ 농가 정보			
농장명	보물촌흑돼지농장	경영주 연령	57세
경영유형	개인	사육두수	3,000두(모돈:300)
지역	전북 장수군 장수읍	스마트 팜 운용연수	2년 이상
사육품종	흑돈	스마트 팜 투자비용	4억
시설면적	3,372m^2	고용인원	현장 근로자 5명

○ 도입장비

자동급이기, 사료빈관리기, 음수관리기, 돈사환경관리기, 생산경영관리SW

○ 주요 성과

연간 모돈 두당 출하두수(MSY) : 도입 전(13.3두) → 도입 후(17.3두)

○ 전문가가 본 성공요인

'농가와 함께 장비개발업체도 성장해야 국내 스마트 팜이 발전할 거라 생각'할 정도로 긍정적이고 열의가 높음.
돈사 환경개선으로 능률과 성과향상의 일거양득의 효과를 기대함.

○ 농가 정보

농장명	봉동농장	경영주 연령	51세
경영유형	농업회사법인	출하두수	101,400두
지역	충남 논산시 연무읍	스마트 팜 운용연수	3년 이상
사육품종	백돈	스마트 팜 투자비용	-
시설면적	2,965m^2	고용인원	사무실 근로자 2명 현장 근로자 18명

○ 도입장비

음수관리기, 돈사환경관리기

○ 주요 성과

연간 총 출하 두수 : 도입 전(98,300두) → 도입 후(101,400두)
어미돼지 한 마리 당 출하 두수 : 도입 전(27두/연) → 도입 후(28두/연)

○ 전문가가 본 성공요인

결정권자의 선견지명과 대기업만이 할 수 있는 과감한 투자 덕분에 오늘의 봉동농장이 있다고 생각함.

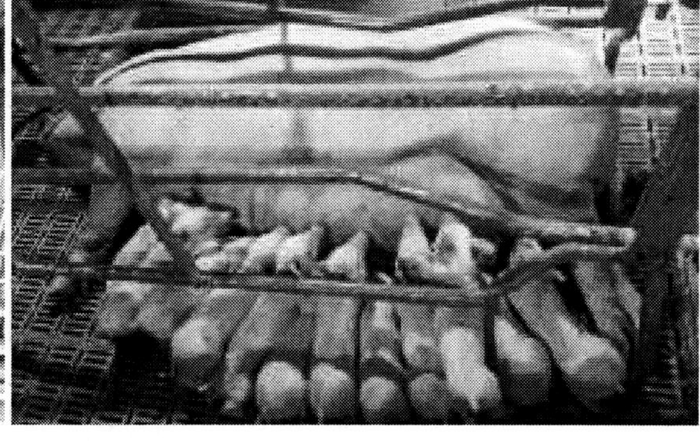

6 미래 농업 관련 산업 과제

VI. 미래 농업 관련 산업 과제

1. 신기후체제 출범에 따른 농산업의 대응과 기회

1) 신기후체제 출범 및 의의

국제사회는 기후변화에 대응하기 위해 2016년 11월 파리 기후변화협정(Climate Change Accord)을 공식적으로 발효하였고, 국제적으로 교토의정서에서 더 나아간 감축 목표와 실행 전략을 요구하게 되었다.

2017년 미국 트럼프 대통령이 신기후체제 탈퇴를 선언하였으나, 미국 내 12개 주가 참여하는 미국 기후 동맹(U.S. Climate Alliance, 현재 17개 주 참여)을 결성하여 파리협정 이행을 계속할 의지를 보였으며, G7에서 미국을 제외한 각국 정상은 파리협정 이행에 최선을 다한다는 공동성명을 발표하였다. 미국 이외의 국가는 충실하게 파리협정을 이행할 것으로 예상하며, 파리협정 의무 준수는 앞으로도 중요한 역할을 할 것이다. 우리나라 역시 2015년 6월에 2030년 BAU 대비 37% 감축안을 제출하였다.

교토체제와 달리 신기후체제 아래에서는 지구 평균온도 상승을 산업화 이전 수준보다 2℃ 밑으로 유지한다는 목표를 문서에 명시하였으며, 모든 회원국이 스스로 목표를 설정하여 온실가스를 감축하도록 하였다.

파리협정(Paris Agreement)에서는 기후변화 완화와 적응뿐만 아니라 재원, 기술, 능력 배양, 투명성을 함께 강조하고 있다. 이와 더불어 종료 시점이 없이 진행된다는 특징이 있으며, 주기적인 점검과 상향된 목표 제시가 수반된다. 또한, 국가뿐만 아니라 다양한 이해관계자들이 참여하는 특징이 있다.

2020년 만료인 교토체제를 대체하여 적용된다는 점에서 2020년 이후의 파리협정체제 하 기후변화 대응을 '신기후체제(Post 2020)'로 부르고 있으며, 파리협정은 모든 국가가 기후변화 대응 및 적응 노력을 하는 최초의 협정으로 볼 수 있다. 교토체제에서는 37개 선진국에만 감축 의무가 주어진 데 반해, 신기후체제 하에서는 197개 모든 당사국이 감축 의무를 가지게 되었다는 것에 의의가 있다. 또한, 선진국과 개발도상국의 각국 목표와 더불어 재정 자원의 이동과 공급, 신기술 체계와 역량 배양, 투명성 제고를 함께 추진한다.

2) 농산업 정책 대응 시사점

신기후체제 하에서 농산업부문은 기후변화 완화(mitigation) 및 적응(adaptation) 정책을 추진함에 따라 추가적인 비용(cost)이 발생하고 그에 따른 경제적 파급과 영향을 초래할 것으로 예상된다. 각 국은 5년마다 NDC를 제출하게 되는데 감축목표가 이전보다 높은 수준이어야 한다는 조건이 명시되어있다는 것을 감안한다면 농업분야에는 큰 부담이 될 수 있다. 따라서 농림축산식품부의 기후변화 대응 기본계획을 파리협약 내용을 반영하여 추진할 필요가 있다. 특히 감축 상향 목표 달성을 위한 체계를 구축하는 방안이 마련되어야 할 것이다

신기후체제에 대응한 농산업부문의 완화 전략으로는 에너지를 많이 소비하는 농업에서 저탄소농업으로 전환하는 것이다. 화석연료를 이용하는 것은 편리하고 경제성이 있지만 이러한 농업은 결국 온실가스를 배출하게 되고 그로 말미암아 기후변화를 가속화시키게 된다. 따라서 화석연료를 대체할 새로운 에너지원으로 지열, 목재펠릿 등 신재생에너지와 청정에너지를 이용할 필요가 있으며, 이러한 저탄소농업 전환은 환경친화적 영농에 대한 사회적 요구를 만족시키는 새로운기회로 해석할 수 있다. 즉, 완화 측면에서는 완화 기술을 통한 탄소 감축 이외의 편익(경영비 절감, 지력 회복, 생산성 향상 등) 확보가 가능하다는 것을 '기회'로 볼 수 있다.

특히 에너지 부문에서는, 에너지 이용 효율성을 제고시키는 기술을 개발하거나 도입하는 기회로 삼을 필요가 있다. 농업인, 농촌진흥청 기술개발 전문가, 농관련 산업체가 협력하여 에너지 이용 효율성을 제고시키는 농기계 개발, 신재생에너지와 청정에너지원을 이용하는 새로운 난방기기 개발 등을 추진하여 국내 시장에 공급할 뿐만아니라 해외 시장에 수출한다면 농업경제 성장의 새로운 동력이 될 수 있을 것이다.

한편, 신기후체제에서는 적응의 중요성이 함께 부각되었다. 특히 농산업부문는 기후 의존적인 산업이기 때문에 기후변화에 대한 취약성을 파악하고 복원력 강화와 위험관리 능력을 제고하는 것이 매우 중요하다. 따라서 온실가스 감축 위주에서 기후변화 적응을 함께하는 방향으로 기후변화 대응전략을 전환할 필요가 있다. 그러나 적응은 감축과는 달리 농가의 이윤극대화 활동과 직접적으로 연결되어 있기 때문에 직접적인 지원 사업을 설계하기보다 농가에서 회복력 및 적응능력을 자생적으로 제고할 수 있도록 지원하는 전략이 필요하다.

기후변화 위험(risk)은 우리 농산업분야에는 분명 위기로 작용할 것이지만 이러한 위기를 극복하기 위한 다양한 적응 노력은 '적응 기회'로 해석할 수 있다. 예를 들어, 기후변화 피해를 줄이기 위한 기술 개발은 경제성이나 생산성 측면에서 기존 관행기술보다 나은 기술을 개발하는 계기가 될 수도 있다. 또한, 관련된 날씨산업 노하우나 기술개발 노하우는 우리와 비슷한 기후변화 영향을 받는 국가로 확산 및 수출도 가능할 수 있다.

그러나 기존의 농축산 부문 기후변화 대응 정책은 사업의 궁극적 목적을 기후변화 완화 또는 적응력 향상에 두기보다 기후변화 이슈 이전부터 이어지던 사업에 기후변화 편익이 부가적으로 존재하는 정책을 중점적으로 육성하는 방향으로 진행되어 왔다. 예를 들어, 에너지절감사업은 경영비 절감 측면에서 기존에 존재하던 사업이며, 품종개발은 생산성 향상 측면에서 지속적으로 개발·보급되던 사업이다. 이것은 향후 예측되는 기후변화의 부정적 영향을 최소화하기 위해서 '기후변화'대응을 주요 목표(target)로 하는 통합 정책이 필요함을 의미한다.

특히 기후변화 위기를 기회로 전환하는 것에 대한 중추적 역할을 하는 기후변화 적응에 대한 국가계획 수립에 있어서 현재 진행 중인 「제2차 국가기후변화적응대책」의 농､수산 분야 계획에 대한 한계 및 보완점으로 기후변화 관련 과제가 다양한 분야가 연관될 수 있으나 범분야(크로스커팅) 이슈 관련 과제의 부족, 연구개발을 넘어선 현장 보급에 필요한 과제와의 연계 강화 필요, 목표로 하는 리스크 목록과 실제 계획에 포함된 과제 간 연계 모호, 기후변화 고려 여부와 관계 없이 관계 기관 본연의 업무를 적응 과제로 제시한 경우 존재를 선정했다.

즉, 기존 농업 분야의 기후변화 감축과 적응 정책은 관련 기관 및 부서의 기존 사업의 연장선 상에서 계획되어 오며 정책 목표의 방점이 기후변화가 아닌 농업인 소득향상 및 기반시설 재정비 등에 있는 경우가 존재하는 것이다. 또한, 감축과 적응에 대한 국가 계획수립에 있어서도 각 과제가 독립적으로 기획되고 수행됨으로써 국가 차원에서의 통합적 접근이 제대로 이루어지지 못한 것으로 판단된다.

최근 공익형 직불제 재편 논의와 함께 농업의 공익적 기능에 대한 관심이 높아지고있으며, 이런 점에서 농업환경보전 정책의 중요성이 부각되고 있다. 농업환경 정책의주요 축의 하나인 기후변화 대응은 신기후체제 출범과 함께 그 중요성이 더욱 강조될수 밖에 없다.

2. 정부-민간 협력을 위한 스마트팜 혁신밸리

1) 혁신밸리 조성의 필요성

우리나라 농업혁신시스템이 최우선으로 개선할 점은 민간의 혁신사업에 대한 참여 및 역량을 강화하고 민간의 혁신사업에 대한 투자를 확대하는 것이다. 또한, 혁신사업계획 수립 및 진행 시 정부와 민간과의 협력, 혁신 주체 간 상호 신뢰와 협력 문화, 타 주체와의 비공식적 네트워킹도 개선할 사항들이다.

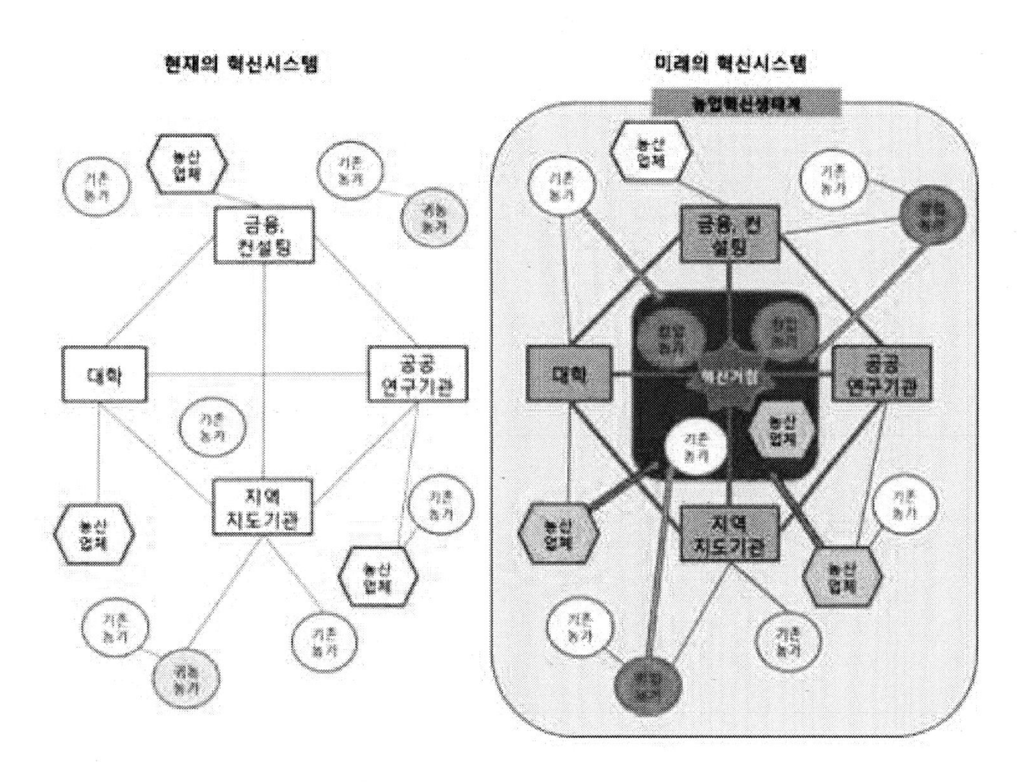

[그림 51] 현재와 미래의 농업혁신시스템 모습

현재 민간의 혁신 역량 강화와 투자 확대, 주체 간 네트워킹 강화를 위한 다양한 정책이 추진되고 있으나, 개선을 촉진하기 위해서는 지역의 (공공)연구개발 기관과 지도기관, 농업교육기관, 농산업 기업, 기존 및 창업농가, 컨설팅·금융기관과 같은 혁신 주체들이 서로 느슨하게 연계되어 있는 현재 혁신체계를 보다 밀접하게 연계된 혁신 네크워크로 전환하기 위한 거점이 필요하다.

정부는 이러한 필요성을 인식하여 혁신성장 8대 선도과제 중 하나로 “스마트팜 확산”을선정하고, 시설원예산업의 혁신거점으로 “스마트팜 혁신밸리 조성”을 추진하고 있다. 이러한 추진과제의 배경에는 ICT 융복합 기술 적용을 통한 농업 생산성 향상, 기술혁신 및 연구개발 성과 현장 적용 확대, 창의적인 젊은 인력의 창농·창업, 농자재·시설 등 농산업 경쟁력 향상, 다양한 혁신 주체들간 네크워킹 활성화 등을 통한 농업 혁신성장을 위해서는 스마트팜 혁신밸리 조성이 필요하다는 전략이 깔려있다.

요컨대, 스마트팜 혁신밸리의 목적은 ICT 융복합 농업생산, 혁신인력 양성, 기술혁신기능을 집적한 단지를 지역 특성에 맞게 조성함으로써 농업인, 기업, 연구기관, 유통 등 다양한 주체들 간 네트워킹을 통한 농산업 혁신역량 향상, 농업생산성 증대, 지속가능한 농업을 도모하는 것이다.

2) 혁신밸리 운영방향과 과제

스마트팜 혁신밸리의 비전은 "연구개발과 실증-교육-창농 및 창업 연계를 통해 4차 산업혁명 시대 농산업의 혁신 역량을 강화"하는 것이고, 목표는 연구개발 및 현장실증 성과 확대, 참여기업의 매출액 및 수출액 증가, 청년 창농·창업 촉진, 스마트팜 생산성 향상 등이 있다.

스마트팜 혁신밸리의 기본 운영 방향은 다음과 같다.
① 교육을 통한 체계적인 육성 → 임대형 스마트팜을 통한 성공적인 창농 → 인력 유입촉진을 통한 청년 주도 혁신체계를 마련한다.
② ICT 융복합 산업, 농자재 산업, 바이오 산업 등의 선도·중소기업과 각 분야 연구기관이 농산업 현장과 연계된 실증실험을 통해 기술발전과 제품개발 → 스마트팜을 확산하고 기자재와 ICT 융복합 시스템의 수출을 확대한다.
③ '교육 - 임대형 스마트팜을 통한 창농 - 연구개발 및 기술실증'을 통해 농업과 농산업간 긴밀한 협력 네트워크를 통한 혁신의 선순환 구조를 마련한다.
④ 재배환경 데이터와 생육 데이터의 수집·가공·활용 확대를 통해 환경 및 생육을정밀제어함으로써 자원을 절약함과 동시에 생산성을 높이는 지속가능한 농업을 지향한다.

스마트팜 혁신밸리 사업을 간략히 소개하면 다음과 같다.
① 2022년까지 전국 거점에 스마트팜 혁신밸리 4개소를 조성한다.
핵심시설은 청년창업보육센터, 임대형 스마트팜, 스마트팜 실증단지이다. 또한 기존 농업인 스마트팜, 산지유통센터, 농촌개발 등과 연계하여 혁신밸리를 조성함으로써 생산뿐만 아니라 유통까지 포함하며, 지역사회 발전을 함께 도모한다.
② 청년창업 보육센터는 '21년까지 4개소 총 18ha(개소당 약 4.5ha)의 교육 및 실습온실을 신축한다. 보육센터당 매년 50 여명을 교육하여, '22 년까지 500명의 청년 스마트팜 전문 인력을 양성할 계획이다.
③ 임대형 스마트팜은 '21년까지 개소당 6ha, 총 24ha를 조성할 계획이다. 초기 투자 자본이 부족한 청년농을 대상으로 스마트팜을 기본 3년 임대하고 평가를 통해 최대 5년까지 임대할 계획이다. 3명으로 구성한 팀당 0.5ha의 스마트팜을 임대하는 것을 원칙으로 하고 있다.
④ 스마트팜 실증단지는 '21년까지 개소당 약 4.5ha를 조성할 계획이다. 공공 실증용온실 2ha, 자율실증 부지 2ha, 혁신밸리 지원센터 0.5ha 등으로 구성된다. 혁신밸리지원센터는 데이터 관리 및 분석, 스타트업 센터, 전시 및 체험, 입주기업 지원 등의역할을 수행한다.

정부-민간 협력을 통한 혁신의 거점으로서 스마트팜 혁신밸리가 성공하기 위한 핵심과제는 다음과 같다
① 청년층 창업·창농을 위한 혁신적 교육 프로그램 운영이 필요하다.
② 임대형 스마트팜뿐만 아니라 안정적 영농 정착을 위한 다양한 지원이 필요하다.

③ 농산업 R&D 자금의 혁신밸리 내 투자 확대가 필요하다.
④ 혁신밸리 내 빅데이터 수집·분석·활용을 강화해야 한다.
⑤ 기자재 및 ICT 융복합 시스템 수출 확대를 위한 정책을 강화할 필요가 있다.
⑥ 교육생 및 농가 참여 연구개발 및 실증 프로그램 확대로 성과확산을 위한 네트워크를 강화한다.
⑦ 연구개발 및 실증 성과의 농산업 현장 적용을 확대한다.

3. 농업ㆍ농촌의 변화와 미래를 이끄는 빅데이터 활용 방안

1) 4차 산업혁명과 농업·농촌

4차 산업혁명은 사물인터넷(IoT), 인공지능(AI), 빅데이터 등의 기술이 全 산업분야와 융합되어 경제ㆍ사회전반의 근본적 변화를 촉발하는 혁명으로 전 세계의 최대 이슈이자 모든 국가의 주요 정책 방향으로 자리를 잡아가고 있다. 4차 산업혁명은 우리가 인식하는 것보다 매우 빠른 속도로 전개되고 있고, 이미 우리 생활 속 통신, 자동차, 에너지, 제조, 로봇, 드론, 정보서비스 등 다양한 분야에서 곧 상용화 서비스를 시작할 수 있을 정도로 발달해가고 있다. 특히 농업, 농산업 등 그간 기술적 제약사항이 쌓여 있는 분야에서도 새로운 기술적 접근이 시도되고 있다. 선진국 및 중국은 자국의 강점을 최대한 활용한 경쟁 전략을 통해 4차 산업혁명 주도권을 잡기 위해 선제적 대응을 하고 있으며, 농업 분야의 혁신 기술 시장을 선점하고 있다.

국가	추진 전략
미국	• ICT 강점을 다양한 산업에 이식, 정부의 제도적 지원 - 각 분야 글로벌 기업이 혁신을 주도해 창조적 부가가치 창출 - 정부는 선제적 제도 마련, 기반 기술 R&D 투자확대 등으로 지원
일본	• 로봇 등 상대적 우위 기술을 이용한 국가혁신 프로젝트 전개 - 빅데이터 활용에 중점을 두고 4차 산업혁명 선도전략 마련('16) - '로봇 新전략'을 통해 2020년까지 무인농기계 실용화 방침
중국	• 정부의 강력한 지원 및 거대 내수시장 기반으로 빠르게 추격 - 스마트 농업확대를 위한 '전국 농업 현대화 계획('16~'20) 발표 - 비교적 출발이 늦지만, 일부 기업은 선진국과 경쟁구도를 형성 * DJI(드론), 알리바바(전자상거래 혁신) 등은 농업 분야 혁신에도 큰 영향
한국	• 4차 산업혁명 대응 계획의 로드맵 발표('17.12.) 이후 2022년 까지 각 부처별로 지능화 혁신 프로젝트 추진 • 정밀재배 2세대 스마트팜·양식장 확산, 파종·수확로봇 개발 - 농어촌 인구감소·고령화 대응을 위한 생산 효율화

자료: 농림수산식품교육문화정보원

[그림 52] 주요 국가 농업 관련 4차 산업혁명 대응 동향

일본은 로봇 개발, 미국은 클라우드·빅데이터 플랫폼 구축, 중국은 선진 제조업설비 마련, 독일은 스마트공장 설립, 영국은 금융산업 선진화 등 국가별로 각각 다른 분야에서 강세를 보이고 있다. 우리나라는 2022년까지 각 부처별로 지능화 혁신 프로젝트 추진을 통해, 산업혁신과 사회문제 해결 전략을 제시하였다. 농산업 분야는 생산성 제고, 농촌 인구감소 및 고령화 등에 대한 대응 전략으로 정밀재배 2세대 스마트팜, 파종ㆍ수확 로봇 개발 등을 추진 중이다.

농업·농촌의 4차 산업혁명은 생산부터 소비, 농촌이라는 공간 분야까지 빅데이터·인공지능·로봇 등의 기술이 접목되어 기계화·첨단화가 진행되고, 분야 간의 유기적 연결 및 융복합을 통한 새로운 가치와 비즈니스를 창출할 수 있는 기회라 할 수 있다.

① 농업생산

사물인터넷(IoT), 센싱 등의 첨단기술과 농업 생산 기술의 융합으로 환경ㆍ생육정보를 정밀하고 자동화된 방식으로 측정하고 스마트 농기계를 활용하여 농작업을 수행하게 되며, 빅데이터와 인공지능을 바탕으로 정밀화ㆍ과학화된 영농 의사결정이 가능해진다.

② 유통

4차 산업혁명 기술 활용으로 농식품 유통정보, 이력 정보 등의 실시간 공유와 신속한 안전관리 대응이 가능해지고 실시간으로 연결된 상품의 선택과 소비 즉시자동 주문·수발주 등 농식품 물류 프로세스도 정비되고, 생산자에게까지 실시간으로연계될 수 있다.

③ 소비

소비자의 요구가 실시간으로 생산자에게 전달되어 즉각 대응하고, 최단 경로로 유통되는 온디멘드(On-Demand) 소비가 확대되어 농식품 생산-유통-소비의 유기적 연계와 소비자 중심의 시장으로의 재편에 도움이 될 수 있다.

④ 농촌활성화

농촌 자원 공유시스템 확산으로 새로운 농촌 소득 모델이 개발되고,원격서비스, 무인자동차 등 물리적 제약의 극복으로 농촌 정주여건 개선이 이루어질것이며, 자동화의 확대로 인한 농업 노동의 질 향상과 전문 농업경영인, 생산시스템 및 정보 분석가 등 질 좋은 일자리 수요도 발굴될 것으로 전망된다.

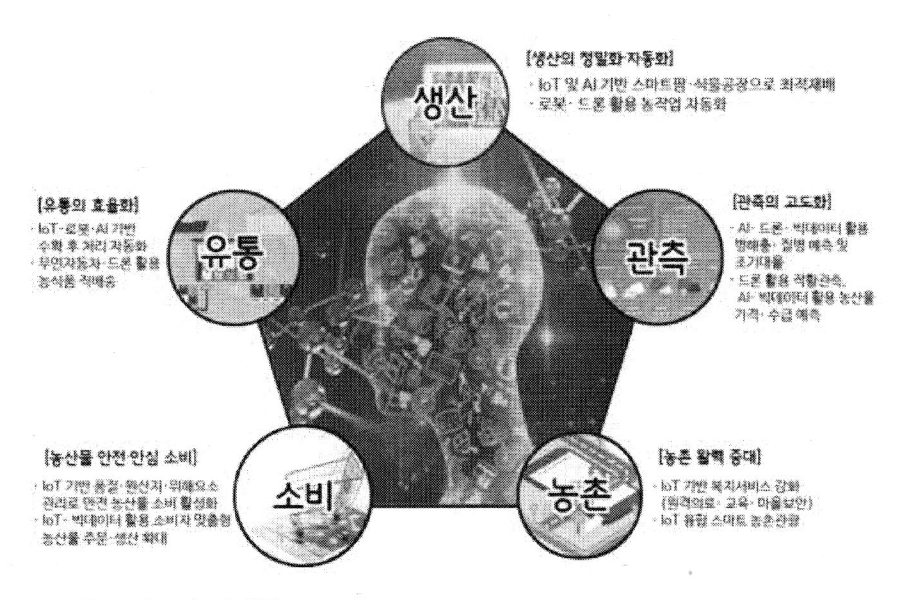

자료: 농림수산식품교육문화정보원

[그림 53] 농업·농촌의 4차 산업혁명과 미래 모습

과학기술기획평가원과 한국산업기술평가관리원의 주요 4차 산업혁명 기반 기술 수준 조사에 따르면 한국의 빅데이터, 인공지능(AI) 등 기술 경쟁력이 중국과 비교해 우위에 있지만, 미국을 100점으로 봤을 때 한국의 전반적인 주요 기술 수준 점수는 79.6점으로 나타났다. 이미 다양한 산업에 빅데이터가 접목되고 있으나, 한국의 빅데이터 기술 수준은 77.9점으로 중국(66.4점) 보다는 높지만, 유럽(88.9점)이나 일본(87.7점)보다 낮은 상황인 것으로 나타났다.

2) 4차 산업혁명의 핵심요소, 빅데이터

농업·농촌 분야 빅데이터는 농업 생산, 경영, 관리, 서비스 등의 측면에서 새로운 지식, 비즈니스 창출을 위한 핵심적인 요소로서, 정부 부처의 정책 결정이나, 다양한 시장 주체의 생산 경영 활동 등에서 활용 방안이 모색되고 있다. 실시간 생성 → 저장 → 처리되는 빅데이터의 특성을 활용하여 현재 혹은 미래를 예측하거나 최적화된 의사결정에 활용되며, 공공 부문에서는 국가 미래전략 수립, 사회현안 해결, 공공서비스 혁신 등에, 민간 부문은 생산성 향상 등 경쟁력 강화에 활용이 확산되고 있다. 농산업 분야에서 활용할 수 있는 빅데이터는 데이터 형태에 따라 크게 정형 데이터, 반정형 데이터, 비정형 데이터로 나눌 수 있다.

형태	특징	활용 가치
정형 데이터	내부 데이터가 대부분이며, 현실적 가치의 한계 상 활용 측면에서 잠재적 가치는 상대적으로 낮다.	보통
반정형 데이터	HTML, 오픈API, 웹로그 및 IoT에서 제공하는 센서 데이터로 정형 데이터 보다 잠재적 가치는 높다.	높음
비정형 데이터	목적론적 데이터 특징이 가장 잘 나타나는 데이터로 가장 높은 활용 가치를 제공한다.	매우높음

자료: DBGuide.net, 데이터실무 기술 가이드

[그림 54] 빅데이터 형태별 활용 가치 비교

정형·반정형 빅데이터는 부처, 각 기관에서 행정 서비스 및 내부 시스템을 통해 수집·생성되는 공공데이터와, 민간에서 생성하는 데이터로는 농산물 출하·판매 데이터 등이 대표적이다. 언어 분석이 가능한 텍스트 데이터나 이미지, 동영상 같은 멀티미디어 데이터 형태인 비정형 데이터로는 소셜, 웹에서 키워드로 검색 가능한 데이터, 농작물 생육 정보를 담고 있는 이미지 데이터 등이 있다.

3) 농식품 빅데이터 정책 현황

농식품 분야 빅데이터 활용은 크게 정부 예산을 활용한 기반 구축과 생산·유통·농지 분야 등에서 모델 발굴 사업이 추진 중이며, 각 기관에서는 빅데이터 관련 연구과제 및 시범 사업 등을 통해 정책 및 사업화 방안을 모색해 나가고 있다.

① 기반 구축

농식품 빅데이터 융·복합 활용 촉진을 위한 데이터지도 구축, 활용 모델 개발 등으로 단계적으로 농식품 빅데이터 생태계 조성을 추진 중이다. 초기 단계에서는 통계 및 민간SNS 등을 활용한 영농현안 분석을 중심으로 빅데이터 수집 체계 구축, 당면 영농현안 트렌드 분석이 이루어지고 있다. 농산업 빅데이터(농업경영체, 팜맵, 가격, 쇠고기이력 등) 표준화·품질제고 및 민간 빅데이터(POS, 카드사, 통신사, SNS) 수집 활용을 위한 협업 체계를 구축 중이다. 중장기적으로는 농식품 빅데이터 수집·유통 플랫폼과 분야별 의사결정지원 모델의 대국민 서비스화를 통해 목표로 하고 있다.

② 생산 분야

스마트팜 확산 사업을 통해 생장 환경 등에 대한 빅데이터를 수집하고 있으며, 2019년부터는 축사 분야 빅데이터 사업이 추진될 예정이다.

(1) 스마트팜

스마트팜 빅데이터 수집, 연계 및 수집 데이터 품질관리와 스마트팜 빅데이터 활용 사례 발굴이 추진되고 있다.

(2) 축사

스마트 축사의 빅데이터 수집 플랫폼 구축과 경영지원 모델 발굴、서비스 활용 체계를 '19년부터 구축할 계획이다.

③ 유통 분야

농정원은 도매시장 실시간 경락가격 데이터 활용을 지원하고 있으며, 유통공사는 농산물유통종합정보시스템 운영 및 이를 통해 수집 되는 빅데이터를 활용하여 생산、유통 분석 모형 등을 통해 수급예측 모델 개발 및 시스템 고도화를 추진 중에 있다.

④ 농지 분야

농어촌공사의 농지종합정보화 사업을 통해 농지이용활성화를 위한 빅데이터 활용 연구 및 서비스화가 이루어지고 있다.

4. 스마트팜 빅데이터 활용 기반 구축

1) 스마트팜 확산 형황

정부는 기후변화에 대응한 시설농업 육성 및 첨단 과학 영농을 추진하기 위하여 스마트팜 확산을 국가중점과제로 지정하여 추진하고 있다. 정부는 2014년부터 보급사업을 시작으로 2017년 기준 시설온실 4,010ha(현대화된 온실의 40%), 스마트축사 790개소(전업농의 3.4%)에 유형별 스마트팜 보급·확산을 진행했다. 또한, 2022년까지 시설원예 7,000ha(시설현대화 면적의 70%), 축산농가 5,750호(전업농의25%)에 스마트팜 보급을 목표로 하고 있다. 또한, 스마트팜 확산으로 빅데이터 수집을 확대하고 이들 데이터의 품질 관리 방안을 마련하여 연구기관 및 민간 기업의 활용이 확대될 수 있도록 관련 산업 생태계 조성에 노력하고 있다.

단위: 호

구 분	'17	'18	'19	'20	'21	'22
토마토	785	824	865	909	954	1,002
파프리카	575	587	601	614	627	642
딸기	600	720	864	1,037	1,244	1,493
오이	201	231	266	306	352	404
수박	600	660	726	799	878	966
참외	400	460	529	608	700	805
화훼	839	965	1,110	1,276	1,467	1,688
합 계	4,000	4,447	4,961	5,549	6,222	7,000
증가율		11.2	11.6	11.9	12.1	12.5

자료: 농림수산식품교육문화정보원

[그림 55] 스마트팜 보급 실적 및 확산 목표

2) 스마트팜 데이터 공유시스템

스마트팜 관련 빅데이터 관리기관(농정원)에서는 2015년부터 스마트팜 농가를 대상으로 생육·환경 정보를 수집하여 빅데이터 활용 체계를 구축해 왔으며, 2016년부터 스마트팜 포털서비스를 제공하고 있다. 또한, 온실의 환경·제어·생육 데이터를 기반으로 품목·시설·기후 등 조건이 유사한 스마트팜 농가의 정보 분석을 통해 생산성을 높일 수 있도록 하는 컨설팅 기반의 서비스를 제공하고 있다.

예시로는 우수농가의 환경·생육조건을 비교·분석하여 스마트팜 농가에 생산성 향상을 위한 온실 환경관리(온·습도, 광, 에너지 등) 개선방안을 제시한 것을 들 수있는데, 주요 서비스 내용은 스마트팜 대시보드(연계농가 종합현황, 정보단절 알림 등), 환경(자동), 생육(수동), 경영(수동), 제어(자동) 실시간 정보 제공, 분석 서비스(생육진단, 유통정보) 등으로 구성되어 있다.

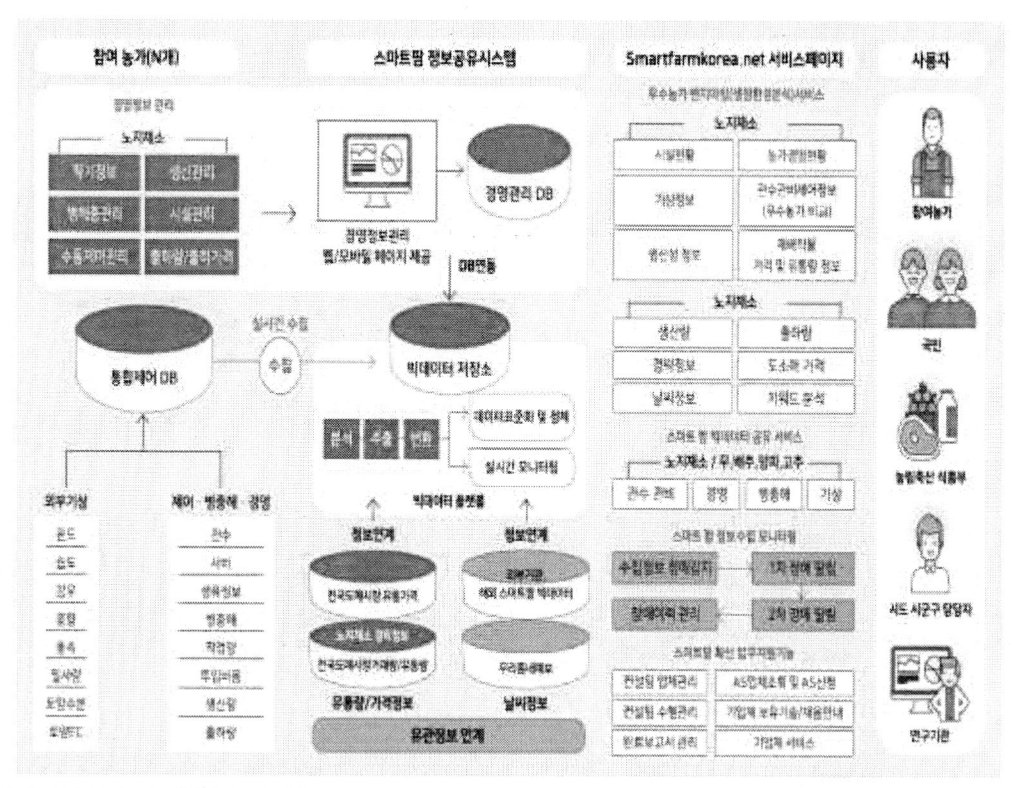

자료: 농림수산식품교육문화정보원

[그림 56] 스마트팜정보 공유 서비스 체계도

데이터현황은 2018년 10월 기준 243호 농가 대상 9개 품목에 대한 데이터가 약 8억 2천건 수준으로 수집되었고, 2022년까지 800호 농가 대상으로 데이터 수집 확대할 목표를 가지고 있다.

단위: 호, 건

토마토	파프리카	딸기	참외	오이	국화	가지	양돈	낙농	합계
75	61	54	11	10	10	2	15	5	243

구 분	환경 정보	생육 정보	제어 정보	경영 정보	합계
축적건수	530,036,970	423,700	286,895,787	1,046	817,357,503

자료: 농림수산식품교육문화정보원
* 자동수집 정보(환경, 양액, 제어)의 경우, 분 단위 데이터를 1시간 단위로 수집
* 생육 정보의 경우 주 단위 조사·입력, 경영 정보의 경우 수시 입력

[그림 57] 스마트팜 빅데이터 수집 대상 및 현황

환경정보, 제어정보, 생육정보와 관련된 59개 항목을 수집하고, 수집된 데이터는 연구기관, 기업체, 대학 등에 제공하여 스마트팜 기술 및 제품 개발을 지원하고 있으며, 농진청, KIST, ETRI, 서울대, KT, SKT 등 18개 기관 및 기업체에서 활용 중이다.

구 분		수집 항목	항목	수집주기	수집방법
환경 정보	내부환경	온·습도, 광량, CO_2 등	9	분	자동
	외부환경	풍향, 풍속, 일사량 등	8	분	자동
	토경정보	지온, 지습, 토양 EC 등	6	분	자동
	수경정보	지온, 지습, 수분 함수율	3	분	자동
	양액정보	배액EC, 배액pH 등	7	분	자동
생육 정보		생장길이, 잎수, 줄기굵기 등	13	주	수동
제어 정보		천창, 커튼, 유동팬, 양액 등	13	분	자동
계			59		

자료: 농림수산식품교육문화정보원

[그림 58] 수집항목 및 수집 방법

향후에는 생산단계 정보뿐만 아니라 유통·소비 단계의 정보를 결합해 스마트팜 전 주기에 걸친 품목별 분석모델 및 유통·출하 의사결정 모델 지원을 확대할 예정이며, 이를 위해 생산 품목·유형별 정보수집을 확대(2017: 200호 → 2021: 800)하고, 유통 이력 및 안전 정보 등도 함께 연계·수집할 계획이다.

3) 농가의 스마트팜 빅데이터 활용

스마트팜 도입 농가의 빅데이터 활용은 아직 초보 수준이나, 시설농업의 발전 및 스마트팜 확산에 도움이 되고자 농정원에서는 매년 성공사례를 발굴·홍보하고 있다. 낙농 농가의 활용사례는 축사에서 생성되는 온도, 습도, 급이량, 급수량 등 스마트팜 데이터와 농가가 수집데이터(번식정보, 약품, 사양 현황 등)를 융합 활용하여 사료관리 및 가축 모니터링을 실시하였다. 이를 통해 두당 착유량이 13% 수준까지 향상되었고, 노동시간은 약 50% 수준까지 절감되는 효과가 발생하였다.

토마토 재배 농가 활용사례로는 국내 토마토 주산지의 우수농가 데이터와 화순 지역과 유사한 기후와 여건을 갖추고 있는 지역의 데이터를 비교 분석하였다. 지역별 환경 정보와 생육량 데이터를 연계한 비교분석으로 온실환경관리, 작물 재배관리를 효율화 하여 단위 면적당 20% 생산량 향상과 10% 수준의 생산비 절감 효과가 발생하였다.

파프리카 농가의 활용사례는 온실의 광, 온도, 습도, 탄산가스 등 지상부 생육환경 데이터, 급액 데이터, pH, EC 등 근권 환경 데이터를 일변화, 주변화, 월변화 등 패턴분석을 통하여 보다 정밀화된 최적 환경 제어로 17% 수준 생산비 절감, 단위 면적당 7% 수준 생산량이 향상되었다.

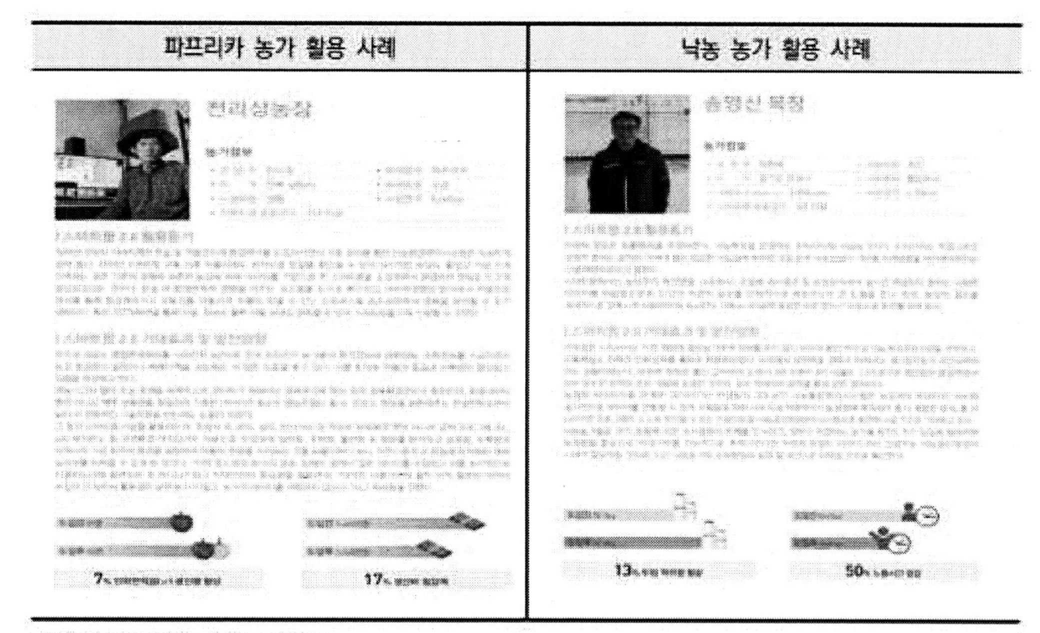

자료: 농림수산식품교육문화정보원

[그림 59] 농가의 스마트팜 빅데이터 활용 사례

7 농업 관련 산업 시장 전망

VII. 농업 관련 산업 시장 전망

1. 한국 농업 동향과 전망

1) 재배업 생산 동향과 전망

한국의 국토면적 대비 경지면적의 최근 3개년(2017~2019년) 평균 비중은 15.9%로 OECD 회원국 중에서 22위이며 2005(18.3%)년에 비해 2.4%p 감소하였고, 매년 감소 추세를 보이고 있다. 농촌의 고령화, 농지 전용 수요 증가 등으로 경지면적은 지속적으로 감소하여 2025년 151.7만 ha, 2030년 148.9만 ha로 전망된다. 농가인구는 감소폭이 경지면적 감소폭보다 커 농가인구 1인당 경지면적은 2025년 75.6a, 2030년 79.5a로 연평균 1.1% 확대될 전망이다.

구 분	2000	2019	2020 (추정)	전망			연평균 변화율(%)			
				2021	2025	2030	19/00	20/19	21/20	30/20
경지면적(천 ha)	1,889	1,581	1,567	1,555	1,517	1,489	-0.9	-0.9	-0.8	-0.5
농가호당 경지면적(ha)	1.36	1.57	1.57	1.58	1.62	1.65	0.7	0.3	0.2	0.5
농가인구당 경지면적(a)	46.9	70.4	71.2	71.9	75.6	79.5	2.2	1.1	1.0	1.1
경작가능면적(천 ha)	1,899	1,533	1,519	1,507	1,471	1,443	-1.1	-0.9	-0.8	-0.5
재배면적(천 ha)	2,098	1,643	1,624	1,618	1,573	1,521	-1.3	-1.2	-0.4	-0.6
경지이용률(%)	110.5	107.2	106.9	107.3	107.0	105.4	-0.2%p	-0.4%p	0.5%p	-0.1%p

주: 경지이용률은 (재배면적 / 경작가능면적 × 100)으로 산출됨.
자료: 통계청, 「농업면적조사」, 한국농촌경제연구원 KASMO(Korea Agricultural Simulation Model)

[그림 61] 경지면적과 경지이용률 동향과 전망

2) 축산업 생산 동향과 전망

지난 38년간('83년~'20년) 주요 축종 중 사육가구가 가장 많이 감소한 축종은돼지 11.4%, 다음으로 한·육우 6.1%, 젖소 4.1%, 닭 1.6% 순으로 나타났다. 같은 기간 사육마릿수가 가장 많이 증가한 축종은 돼지가 연평균3.1%, 한·육우 1.5%, 젖소 1.1% 순이었으며. 오리는 사육가구 및 마릿수가 각각 5.9%, 3.4% 감소했다.

육류 및 계란 소비 증가로 젖소를 제외한 모든 가축의 사육마릿수는 증가 추세를 보일 전망이다. 젖소 사육마릿수는 연평균 0.3% 감소하는 반면, 소와 돼지는 각각 0.8%, 0.7% 증가하여 2030년 우제류 사육마릿수는 연평균 0.7% 증가한 16.0 백만 마리에 이를 전망이다. 2030년 오리 사육마릿수는 2021년 큰 폭 감소한 후 완만하게 회복하여 2020년 수준으로 전망된다. 육계와 산란계는 각각 연평균 0.9%, 0.6% 증가하여 2030년 가금류 사육마릿수는 연평균 0.7% 증가한 190.4백만 마리로 전망된다.

[표 1-12] 사육마릿수 동향과 전망

단위: 백만 마릿수, %

구 분	2000	2019	2020 (추정)	전망			연평균 변화율(%)			
				2021	2025	2030	19/00	20/19	21/20	30/20
총 사육마릿수	112.9	193.4	192.8	187.8	193.1	206.4	2.9	-0.3	-2.5	0.7
우제류	10.3	15.0	15.0	15.0	15.5	16.0	2.0	-0.4	0.3	0.7
소	1.6	3.2	3.4	3.4	3.6	3.6	3.8	4.0	2.5	0.8
젖소	0.54	0.41	0.41	0.41	0.40	0.39	-1.5	-0.4	-0.4	-0.3
돼지	8.1	11.4	11.2	11.1	11.5	11.9	1.8	-1.6	-0.4	0.7
가금류	102.6	178.3	177.8	172.8	177.6	190.4	3.0	-0.3	-2.8	0.7
육계	46.9	98.1	96.3	94.8	96.6	104.8	4.0	-1.9	-1.5	0.9
오리	5.1	8.9	8.5	7.9	8.1	8.5	3.0	-4.6	-7.0	-0.1
산란계	50.5	71.3	73.0	70.1	72.8	77.2	1.8	2.4	-4.0	0.6

주: 가축통계 공표를 위한 조사방식이 변경되어 한육우, 젖소는 2017년 3/4분기부터 이력제 자료로 대체됨.
자료: 통계청, 「가축동향조사」, 한국농촌경제연구원 KASMO(Korea Agricultural Simulation Model)

[그림 62] 사육마릿수 동향과 전망

3) 농식품 소비 동향과 전망

90년대부터 소비자의 식품소비행태 변화 등으로 7대 곡물과 6대 과일의 소비는 감소하고, 육류와 수입과일의 소비는 증가하고 있다. 쌀 등 곡물의 1인당 소비량은 연평균 1.2% 감소하였다. 6대 과일 소비량은 2000년 1인당 47.5kg에서 2019년 36.0kg으로 연평균 1.5% 감소하였으나, 오렌지와 열대과일 소비량은 동기간 3.9% 증가하였다. 3대 육류의 1인당 소비량은 2000년 32.0kg에서 2019년 54.9kg으로 연평균 2.9% 증가하였다.

곡물, 채소 소비량은 지속적으로 감소하고, 수입과일과 육류 소비량은 증가할 전망이다. 2030년 1인당 곡물 소비량은 2020년 대비 10.4kg 감소한 124.0kg으로 전망된다. 2020년 채소 생산량은 기상악화에 따른 양념 채소의 작황 불황으로 전년 대비 감소하였으나 대파, 양파, 마늘 중심으로 수입량이 큰 폭으로 증가하여 1인당 소비량은 전년보다 1.6% 증가한 것으로 추정된다. 중장기적으로는 연평균 0.5% 감소하여 2030년은 108.4kg으로 전망된다. 2020년 장마, 태풍, 이상저온 등으로 인한 작황 부진으로 6대 과일 소비는 전년 대비 4.2kg 감소하였으며, 수입과일 소비량은 해외 주산지의 저조한 작황으로 수입량이 줄어 0.4kg 감소한 것으로 추정된다. 중장기적으로는 6대 과일은 2021년 34.7kg으로 증가한 후 연평균 0.1% 감소하며, 수입과일은 2020년 이후 연평균 1.7% 증가하여 2030년 전체 과일 소비량은 연평균 1.0% 증가한 50.3kg 으로 전망된다. 3대 육류 소비는 연평균 1.0% 증가하여 2030년 1인당 소비량은 60.0kg에 이를 전망이다.

단위: kg/인, %

구 분	2000	2019	2020 (추정)	전망			연평균 변화율(%)			
				2021	2025	2030	19/00	20/19	21/20	30/20
7대 곡물[2)]	174.8	138.2	134.4	133.0	127.9	124.0	-1.2	-2.7	-1.0	-0.8
5대 채소[3)]	137.7	112.2	113.8	106.3	107.6	108.4	-1.1	1.5	-6.6	-0.5
6대 과일[4)]	47.5	36.0	31.8	34.7	34.1	33.8	-1.5	-11.6	9.3	0.6
오렌지와 수입 열대과일	6.9	14.2	13.8	14.0	14.9	16.5	3.9	-2.6	0.8	1.7
3대 육류[5)]	32.0	54.9	54.3	54.6	56.3	60.0	2.9	-1.2	0.7	1.0

주 1) 7대 곡물, 5대 채소, 6대 과일 및 오렌지·열대과일 1인당 소비량은 유통연도 기준, 3대 육류는 회계연도 기준이며, 1인당 소비량은 총 국내 공급량(국내 생산량 + 수입량 - 수출량 - 재고 변화량)으로부터 도출된 1인당 공급량을 의미함.
2) 7대 곡물: 쌀, 보리, 밀, 콩, 옥수수, 감자, 고구마
3) 5대 채소: 배추, 무, 마늘, 고추, 양파
4) 6대 과일: 사과, 배, 복숭아, 포도, 감귤, 단감
5) 3대 육류: 소, 돼지, 닭
자료: 농림축산식품부(「농림축산식품 주요통계」 각 년도), 한국농촌경제연구원 KASMO(Korea Agricultural Simulation Model)

[그림 63] 농식품 소비 동향과 전망

4) 농식품 교역 동향과 전망

2020년 7대 곡물 수입량은 전년 대비 1.4% 증가하고, 5대 채소 수입량은 마늘, 고추, 양파의 작황 불황으로 7.1% 증가하였다. 과일 수입량은 오렌지, 바나나, 포도 등 수입과일의 주산지 이상기상에 따른 작황 부진으로 2.3% 감소한 것으로 추정된다. 2020년 5대 축산물 수입량은 ASF 영향에 따른 가격 상승과 코로나 영향에 따른 해외 주산지 공급망 차질 등으로 수입량이 감소하여 전년 대비 8.7% 감소한 것으로 추정된다. 농식품 수출액은 코로나19 이후 김치, 인삼, 라면 등 국산 농식품에 대한 해외수요가 증가하여 전년 대비 8.5% 증가한 것으로 추정된다. 2030년 농식품 수입액은 기 체결 FTA 등 시장개방 확대의 누적효과로 연평균 2.0% 증가하여 344.0억 달러로 전망된다. 수출액도 연평균 2.3% 증가하여 2030년 90.4억 달러에 이를 전망이다. 무역수지적자는 연평균 1.8% 확대되어 2030년 253.5억 달러로 전망된다.

단위: 억 달러, 천 톤

구 분	2000	2019	2020 (추정)	전망			연평균 변화율(%)			
				2021	2025	2030	19/00	20/19	21/20	30/20
총 수입액(A)	67.8	276.6	282.9	290.7	308.6	344.0	7.7	2.3	2.7	2.0
수입량	23,886	37,188	37,473	37,991	39,225	42,409	2.4	0.8	1.4	1.2
7대 곡물	13,563	17,561	17,802	18,013	18,446	19,048	1.4	1.4	1.2	0.7
5대 채소	95	222	237	254	252	269	4.6	7.1	7.1	1.2
과일	335	798	780	786	839	924	4.7	-2.3	0.8	1.7
6대 과일	7.6	61.4	62.1	62.4	64.9	69.2	11.6	1.2	0.5	1.1
오렌지·열대과일	327	737	718	724	774	855	4.4	-2.6	0.8	1.8
5대 축산물	203	1,170	1,068	1,129	1,163	1,278	9.7	-8.7	5.7	1.8
총 수출액(B)	12.7	66.1	71.7	75.2	83.4	90.4	9.1	8.5	4.8	2.3
수출량	1,129	3,399	3,296	3,352	3,724	3,981	6.0	-3.0	1.7	1.9
무역수지적자(A-B)	55.1	210.5	211.2	215.5	225.2	253.5	7.3	0.3	2.0	1.8

주: 목재류와 산림부산물을 제외한 농식품 교역 자료임. 7대 곡물은 쌀, 보리, 밀, 콩, 옥수수, 감자, 고구마, 5대 채소는 배추, 무, 마늘, 고추, 양파, 6대 과일은 사과, 배, 복숭아, 포도, 감귤, 단감, 5대 축산물은 소, 돼지, 닭, 계란, 낙농품임.
자료: GTIS, 한국농수산물유통공사, 한국농촌경제연구원 KASMO(Korea Agricultural Simulation Model)

[그림 64] 농식품 교역 동향과 전망

5) 농업 총량 동향과 전망

식량작물 생산액은 2020년산 쌀 생산량 감소하였으나 수확기 가격의 큰 폭 상승에 따른 미곡 생산액의 2.9% 증가 주도로 전년 대비 2.2% 증가한 10조 7,190억 원으로 추정된다. 채소 생산액은 양념채소, 과채류 등의 재배면적 감소와 기상악화에 따른 건고추, 양파, 대파 등의 작황 부진으로 가격의 상승폭이 커 전년 대비 7.9% 증가한 12조 30억 원으로 추정된다. 과실 생산액은 개화기 이상 저온 등에 따른 생산량 감소로 전년보다 0.3% 감소한 4조 5,140억 원으로 추정된다.

한육우와 돼지는 생산량이 증가한 가운데 코로나19 영향에 따른 가정식 수요 증가로 인해 가격도 상승하여 생산액은 각각 전년 대비 2.9%, 11.7% 증가한 것으로 추정된다. 닭은 재고량 과잉 지속과 생산성 향상으로 상반기 가격이 큰 폭 하락하여 전년 대비 11.6% 감소한 것으로 추정된다. 오리는 생산량 증가에 따른 가격 하락으로 전년 대비 7.3% 감소하며, 우유는 젖소 마리당 원유 생산량 증가로 전년 대비 1.9% 증가한 것으로 추정된다. 계란 생산액은 사육마릿수 증가와 함께 가정 내 수요 증가로 가격도 상승하여 전년 대비 14.1% 증가한 것으로 추정된다.

농업생산액은 중장기적으로 연평균 1.5% 증가할 것으로 전망된다. 재배업 생산액은 연평균 0.9% 증가하고, 축잠업 생산액은 연평균 2.3% 증가할 전망이다. 식량작물 생산액은 재배면적 감소와 가격 하락 영향으로 연평균 0.4% 감소하나 채소, 과실, 특용·약용작물 등의 생산액은 증가하여 2030년 재배업 생산액은 연평균 0.9% 증가한 33조 6,990억 원에 이를 것으로 전망된다. 축잠업 생산액은 국내 육류 소비 증가와 가격 상승으로 연평균 2.3% 증가하여 2030년 25조 8,390억 원에 이를 전망이다.

단위: 십억 원, %

구 분	2000	2019	2020 (추정)	전망			연평균 변화율(%)			
				2021	2025	2030	19/00	20/19	21/20	30/20
농업 총생산액	31,968	49,680	51,500	52,503	54,650	59,538	2.3	3.7	1.9	1.5
재배업	23,885	29,859	30,946	31,706	32,366	33,699	1.2	3.6	2.5	0.9
식량작물	11,436	10,492	10,719	11,263	10,898	10,258	-0.5	2.2	5.1	-0.4
채소	6,739	11,127	12,003	11,544	12,277	13,549	2.7	7.9	-3.8	1.2
과실	2,581	4,527	4,514	4,977	5,081	5,456	3.0	-0.3	10.3	1.9
특용·약용작물	654	1,651	1,750	1,943	2,016	2,211	5.0	6.0	11.0	2.4
축잠업	8,082	19,821	20,553	20,797	22,284	25,839	4.8	3.7	1.2	2.3
한육우	1,879	5,364	5,519	5,319	5,369	7,611	5.7	2.9	-3.6	3.3
돼지	2,372	6,392	7,139	7,085	7,708	8,194	5.4	11.7	-0.8	1.4
닭	821	2,103	1,859	2,090	2,413	2,780	5.1	-11.6	12.4	4.1
계란	651	1,411	1,609	1,642	1,846	2,109	4.2	14.1	2.0	2.7
우유	1,352	2,215	2,258	2,368	2,479	2,508	2.6	1.9	4.9	1.1
오리	474	1,392	1,290	1,373	1,488	1,594	5.8	-7.3	6.4	2.1
기타	534	944	880	920	980	1,043	3.0	-6.8	4.6	1.7

자료: 농림축산식품부(「농림축산식품 주요통계」 각 년도), 한국농촌경제연구원 KASMO(Korea Agricultural Simulation Model)

[그림 65] 농업 부문 생산액 동향과 전망

6) 농업 부가가치 동향과 전망

2020년 농업 부가가치는 전년 대비 8.3% 증가한 28조 400억 원으로 추정된다. 중간재비는 증가하나 판매가격 상승에 따른 생산액 증가폭이 더 커 부가가치는 전년 대비 6.8% 증가한 22조 1,880억 원으로 추정된다. 사료비와 가축구입비 등 중간재비는 증가하나, 가격 상승에 따른 생산액 증가폭이 더 커 부가가치는 전년 대비 14.2% 증가한 5조 8,520억 원으로 추정된다.

농업부문 부가가치는 중장기적으로 연평균 0.8% 증가하여 2030년에는 30조 5,110억 원으로 전망된다. 중간재비는 증가하나 생산액이 상대적으로 크게 증가하여 부가가치는 연평균 0.8% 증가할 전망이다. 가축과 사료를 포함한 중간재비는 증가하나, 생산액이 연평균 2.3% 증가하여 부가가치는 연평균 1.1% 증가할 전망이다.

단위: 십억 원, %

구 분	2000	2019	2020 (추정)	전망			연평균 변화율(%)			
				2021	2025	2030	19/00	20/19	21/20	30/20
농업	20,455	25,891	28,040	27,929	28,650	30,511	1.2	8.3	-0.4	0.8
	(64.0)[2)]	(52.1)	(54.4)	(53.2)	(52.4)	(51.2)	-0.6%p	2.3%p	-1.3%p	-0.3%p
재배업	18,223	20,767	22,188	22,479	22,863	23,972	0.7	6.8	1.3	0.8
	(76.3)	(69.5)	(71.7)	(70.9)	(70.6)	(71.1)	-0.4%p	2.1%p	-0.8%p	-0.1%p
축산업	2,232	5,124	5,852	5,450	5,787	6,539	4.5	14.2	-6.9	1.1
	(27.6)	(25.9)	(28.5)	(26.2)	(26.0)	(25.3)	-0.1%p	2.6%p	-2.3%p	-0.3%p

주 1) 부가가치는 명목 기준이며, 부대서비스는 제외됨.
2) ( )는 부가가치율을 의미함.
자료: 한국은행, 한국농촌경제연구원 KASMO(Korea Agricultural Simulation Model)

[그림 66] 농업 부가가치 동향과 전망

18)

18) 농업전망 2021 (1권) : 코로나19 이후 농업·농촌의 변화와 미래, 제 1장 2021년 농업 및 농가경제 동향과 전망, KREI

2. 코로나 19 이후 농업·농촌의 변화

코로나19 확산으로 국민들의 분산 거주 움직임이 커질 것이라는 전망이 제기되고있다. 실제 한국농촌경제연구원에서 실시한 2020년 도시민 조사 결과에 의하면 이전보다 귀농·귀촌 의향이 증가했다는 응답 비율이 감소했다는 응답보다 높았다. 특히 50~60대 연령층으로 갈수록 귀농·귀촌이 증가할 것이라는 응답 비율이 더욱 높은 것으로 집계되었다. 연간 농촌관광 횟수가 늘어나리라는 응답도 감소할 것이라는 응답보다 높은 비율을 기록하였고, 소득이 높은 계층일수록 증가하리라는 응답 비율이 더 높았다.

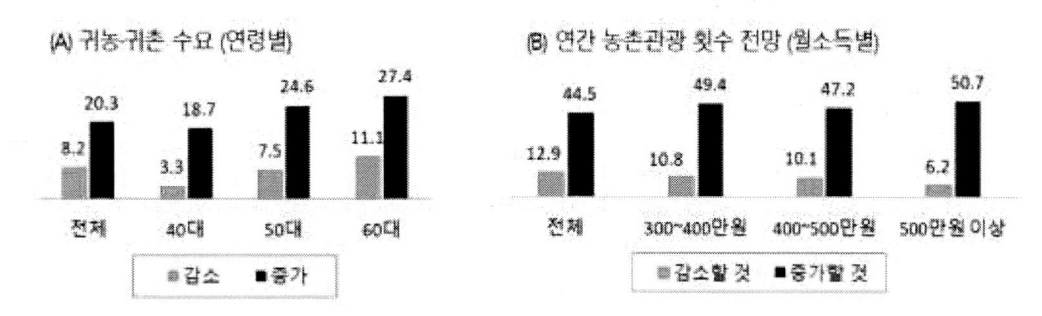

자료: 한국농촌경제연구원에서 2020년 4월 실시한 도시민 1,011명 대상 설문조사 자료 집계

[그림 67] 코로나 19 확산 이후 농촌에 대한 도시민 요구 변화

1) 코로나 시대, 먹거리 문제와 대응

기존에는 기후 변화, 이상 기온 등 환경의 불확실성으로 인한 농업 생산·공급의 불안정이 먹거리 위기의식을 고조시키는 주요 요인이었다. 그러나 코로나19 발생 이후 각국의 경제, 산업, 사회 등이 예상하지 못한 변화에 직면하면서 생산-유통-소비 등 푸드시스템 전반에서 발생하는 다양한 불확실성이 먹거리 위기의식을 심화시키는 요인으로 작용하고 있으며, 먹거리 문제를 발생시키고 있다.

코로나19 발생 초기 국가 간 물류 차질과 식량 수출 제한 조치 등으로 식량 수입국의 위기의식이 고조되었으며, 감염 및 이동 제한으로 인한 노동력 부족으로 농업 생산 차질이 우려되고 있다. 코로나19의 장기화로 인한 소득 및 일자리 감소로 생계유지가 곤란한 가구가 증가하고, 공공·학교급식 등을 통한 급식·식사지원이 원활하지 않음에 따라 최소한의 삶의 질을 보장시켜 주는 먹거리 확보가 어려운 계층이 증가하고 있다.

코로나19로 인한 먹거리 위기의식의 심화로 먹거리의 중요성에 대한 인식이 더욱 높아지고 있으며, 코로나19 발생 이후의 먹거리 문제를 해결하고, 발생 가능한 위기 상황에 대비하기 위해 전 세계적으로 다양한 논의와 정책이 추진되고 있다. 코로나19 이후 국민들은 농업의 중요성이 더 커졌으며, 식량안보의 중요성도 증가한 것으로 인식하였다. 코로나19 발생 이전과 비교하여 국민경제에서 농업이 '중요해졌다'고 응답한 비중이 67.6%, 식량안보가 '중요해졌다'고 응답한 비중도 74.9%에 달하였다.

코로나19로 인한 '식량 위기 팬데믹'에 대한 우려 속에서 식량의 중요성이 커지면서 2020년 유엔 세계식량계획(World Food Program: WFP)이 노벨평화상을 수상하였으며, 유엔 식량농업기구(Food and Agriculture Organization of the United Nations: FAO)는 코로나19로 인한 글로벌 식량위기를 막기 위한 종합 프로그램을 발표하였다.

미국은 팬데믹 전자식 복지(Pandemic Electronic Benefit Transfer, P-EBT) 등 아동과 저소득층 식료품 접근성을 강화하는 일련의 조치를 취했으며, EU는 최빈곤층을 위한 유럽원조기금(Fund for European Aid to the Most Deprived: FEAD)의 집행 시 코로나19 해결을 위한 조치규정을 제정하였다.

우리나라의 경우 기존에 지속가능성의 정책 패러다임을 먹거리 정책에 반영하여 국가 및 지역 푸드플랜을 수립·추진하였다. 그러나 코로나19 발생 이후 먹거리 위기에 대한 대응의 중요성이 커지면서, 2020년 11월 11일 농업인의 날에 문재인 대통령이 식량 안보 강화와 국민 먹거리 보장을 실현하기 위한 '국가식량계획 수립 및 지역 내 자급체계 조성'을 골자로 한 먹거리 정책 방향을 발표하였다.

2) 코로나 시대, 먹거리 정책 방향과 과제

(1) 정책 방향

코로나19 발생 이후 초래된 물적·인적 자원의 이동 제한, 글로벌 먹거리 공급망 약화, 고용 및 소득 감소로 인한 경제적 어려움에 처한 가구 증가 등으로 인해 다양한양상의 먹거리 문제가 발생하고, 먹거리 위기가 발생할 수 있다는 우려도 증가하였다.

전문가들은 코로나19 백신 개발에도 불구하고 코로나19 발생 이전의 생활로 돌아가는 것은 어려울 것으로 예측하고 있다. WHO는 최근 코로나19가 소멸되지 않고 팬데믹(pandemic, 세계적 대유행)을 넘어, 엔데믹(endemic, 주기적 발병)으로 전환되며, 또 다른 질병이 전 세계적으로 영향을 미칠 수 있다고 전망하였다. 따라 언제든지 다양한 양상의 먹거리 위기가 발생할 수 있는 가능성이 상존한다. 이에 따라 국가·사회 전반에서 코로나19 또는 이와 유사한 상황에 상시적·사전적으로 대비를 해야 할 필요성이 증가하게 되었다. 먹거리 정책도 코로나19로 인해 초래된 변화를 새로운 현실로 인식하고, 코로나19로 인해 발생된 현재의 먹거리 문제와 향후 발생 가능한 먹거리 위기에 대응할 수 있도록 설계될 필요성이 증가하게 되었다.

코로나 발생 이후의 새로운 시대의 먹거리 정책은 국내 및 국제적으로 경제, 사회,환경 등 다양한 요인으로 발생할 수 있는 먹거리 불확실성과 위기에 대응하여, 국민의 기본적인 삶의 질을 유지시켜주는 양질의 식량이 안정적으로 공급될 수 있도록 량안보를 강화함으로써 국가의 지속가능한 발전이 가능하도록 수립·추진 될 필요가 있다. 이를 위해 국가적으로 먹거리의 안정적 공급이 가능한 생산 기반 확보와 체계 구축이 우선되어야 하며, 국내 생산·소비를 뒷받침할 수 있는 지속가능한 지역 먹거리체계를 마련하고, 이를 통해 모든 국민이 기본적 삶의 질을 유지할 수 있는 먹거리수준을 보장하는 등 생산부터 소비까지의 푸드시스템 전반에 걸친 대응이 이루어질 필요가 있다.

(2) 정책 과제

우리나라 경지면적은 최근 20년간 지속적으로 감소하고 있다. 쌀을 제외한 거의 모든 곡물을 수입에 의존하고 있는 우리나라 실정을 감안하면 매우 심각한 상황이라고 할 수 있다. 국내 적정 생산기반을 유지하기 위하여 경지면적 한계점을 지정하고, 일정 수준의 농지면적과 식량 파종 면적을 보장할 필요가 있다. 또한, 사료용 또는 식용 이용이 많으며, 대부분 수입에 의존하는 옥수수, 밀, 콩 등은 식량 위기에 대비하여 최소필요량을 비축할 수 있는 제도를 마련할 필요가 있다. 일본은 비상시를 대비하여 공공비축제도를 운용하며, 식용 밀과 쌀, 사료용 곡물을 비축하고 있다. 우리나라는 쌀과 콩, 국내산 밀에만 제도를 활용하고 있으나, 소가 크게 증가하고 있는 식용 밀과 사료용 곡물에 대해 '곡물 비축제도'를 확대하는 것도 고려할 필요가 있다.

또한, 식량위기 대응능력을 제고하기 위해 국가 간 협력체계를 구축하여야 한다. 코로나19의 영향으로 자국의 식량 안보를 위해 러시아, 우크라이나, 베트남 등 주요 곡물수출국이 밀, 쌀, 옥수수 등 식량수출을 금지한 사례가 있다. 곡물 확보를 위한 국가 간 경쟁이 치열해지고, 곡물 무역에서 곡물 메이저로부터의 조달 비중이 매우 높은 우리나라 실정을 고려하여 주요 곡물 수출국과의 협약체결 등을 통하여 비상시 필요 물량을 반입할 수 있는 체계를 구축할 필요가 있다. 일본의 경우, 2009년 농림수산성과 외무성이 협력하여 '식량안보를 위한 해외투자촉진위원회'를 설치하여 정부 간 투자협정 체결과 대상 국가의 투자환경 정비, 인프라 정비와 기술 지원 등의 분야에 ODA 사업과 연계 등을 추진하고 있다.

다음으로, 식량안보차원에서 해외농업개발사업을 통해 유사시 수입의존도가 높은 주요 곡물을 안정적으로 확보할 수 있는 체계를 구축할 필요가 있다. 해외곡물 생산을 위해 우리 농기업이 많이 진출한 연해주, 몽골, 우크라이나, 베트남 등 신남·북방 지역에 ODA 지원(유통인프라 및 저장시설 지원 등)과 해외농업개발사업의 연계를 통해 효과적 곡물반입 여건을 조성할 필요가 있다. 2018년 기준 29개국에서 184개 기업이 해외농업개발에 참여하고 있지만, 곡물 확보 및 조달 측면에서의 성과는 미미한 상황이다. 해외에서 식량자원을 생산·반입하는 농기업은 관세, 통관절차 등의 까다로움과 현지 유통 인프라 부족 및 물류비용 부담을 주요한 어려움으로 제시하고 있다.

마지막으로, 해외 진출기업의 안정적인 사업수행을 위해 일정 한도의 물량에 대해서는 규제완화나 금융지원, 안정적 판로제공 등 정책지원을 통하여 국내 반입이 가능하도록 조치할 필요가 있으며, 위기 발생 시에는 합리적인 가격으로 국내에 우선 반입하게 하는 방법을 고려할 필요가 있다. 또한, 소비자의 식생활 변화를 감안하여 식량위기에 대응하기 위한 전략을 수립할때 기존의 곡물 중심의 식량 개념에서 탈피하여 채소류, 육류 등 다양한 농산물을감안한 계획이 마련될 필요가 있다.

초판 1쇄 인쇄 2023년 1월 11일
초판 1쇄 발행 2023년 1월 23일

편저 미래기술정보리서치
펴낸곳 비티타임즈
발행자번호 959406
주소 전북 전주시 서신동 780-2 3층
대표전화 063 277 3557
팩스 063 277 3558
이메일 bpj3558@naver.com
ISBN 979-11-6345-414-4 (13480)

이 도서의 국립중앙도서관 출판예정도서목록(CIP)은 서지정보유통지원시스템 홈페이지(http://seoji.nl.go.kr)와 국가자료공동목록시스템 (http://www.nl.go.kr/kolisnet)에서 이용하실 수 있습니다.